パンデミック後、新しい世界が始まる

命の経済

ジャック・アタリ
JACQUES ATTALI

L'ÉCONOMIE DE LA VIE
SE PRÉPARER À CE QUI VIENT

林 昌宏、坪子理美 訳

プレジデント社

『命の経済』

森羅万象に捧ぐ
すべての人々が苦難を乗り越え、来るべき未来に備え
明るい未来をつくり出せることを願って

「死について書くつもりだったが、頭に浮かんだのはやはり生きることだけだった」
――ヴァージニア・ウルフ〔イギリスの小説家〕、一九二二年二月一七日付の日記

『命の経済』目次

第二章　未曾有のパンデミック

第三章 一時停止した世界経済

第四章 国民を守り、死を悼む政治

第五章　最悪から最良の部分を引き出す

第六章　命の経済

第七章　パンデミック後の世界はどうなる？

結論　「闘う民主主義」のために

初出一覧〔残りはすべて書き下ろし〕

第五章の「死を覆い隠す：気を紛らわせて生きる」、二〇二〇年七月九日付の『レゼコー』紙。

第五章の「マスクの起源」、二〇二〇年六月一一日付の『レゼコー』紙。

第五章の「企業は居心地のよいホテル」、二〇二〇年七月三日付の『レゼコー』紙。

第六章の「岐路に立たされた高等教育」、二〇二〇年六月一八日付の『レゼコー』紙。

◎本文内における〔　〕は、翻訳者における補足である。
◎読みやすさ、理解のしやすさを考慮し、原文にはない改行を適宜加えた。
◎重要と思われる部分は太字にした。
◎本文中の数値、日付、人名、地名等は原書に従った。
ただし、誤りであることが明らかな場合には翻訳・編集時に修正を加えた。

はじめに

本書執筆の動機

今なおきわめて不確実な出来事について執筆するのは、時期尚早ではないか。日々、新たな情報が明らかになる感染症を論じることは妥当なのだろうか。中国やヨーロッパなどにおける対応の誤りを把握しながら、来るべき未来にどう備えるべきか。こうした失敗はどれほどの代償をともなうのか。この騒動が始まって以来われわれを翻弄し続ける情報の濁流に、一冊の著書を投げ込む意味はあるのか。始まったばかりの危機からもう教訓を見出せるのか。われわれは自分たちがどんな局面にあるのかを考えられるのだろうか。過去の強迫観念をくどくど説くような真似をせずに済むだろうか。執筆するのなら論考でなく、小説、戯曲、詩といった形式のほうがふさわしかったのではないか。あるいはいっそ、筆を折って何もせずに沈黙すべきか。積んである書籍をすべて読破し、未聴の音楽をじっくりと聴き、瞑想にふけるほうがよいのではないか。

このように逡巡しながらも、私は本書を執筆した。これが今回の異常事態を契機に生まれるであろう、数多くの書物の一冊になることは間違いない。しかし、これは自宅待機中の手慰みではない。すでに報道された文書をただかき集めたものでもない。本書において、私はこれまでを総括したうえで今後の展望を述べる。

聞くべき声に耳を傾ける

私が本書でこのような形をとる理由は、これまでを総括することがこの戦いのさなかにおいて有益だと考えるからだ。総括では喫緊の争点だけでなく、われわれがよりよい形でなすべきだったことを説く。横行するまことしやかな嘘と臆見を排除し、納得のいく説を提示することを目指す。

したがって、本書の総括は、専門家を自称する者たちの論争、恐怖を煽る輩の罵言、事態を直視せずに自分たちのユートピアを繰り返し説く人々の妄想とはまったく異なる。そして今後の展望では、**来るべき未来に備えるためになすべきこと**を明確に語る。

私は、これまでとは異なる暮らし方を今、試みようとする幾多の人々に本書を捧げる。執筆に際しては、世界各地から得た確固たる知識だけを用いることを心がけた。二〇ヵ国以上の医師、疫学者、歴史家、経済学者、社会学者、哲学者、小説家、経営者、研究者、労働組合活動家、非政府組織（NGO）の代表者、与党と野党の政治家、文筆家、ジャーナリストの見解を参考にした。そして真理が宿っているのにもかかわらず無視されることの多い、市井の人々の意見にも耳を傾けた。自分たちの知識と懸念を私に惜しみなく語ってくれた彼らに感謝申し上げる。彼らの言葉は、この特殊な状況においていっそう価値をもつ。

私はSF小説のような突拍子もない仮説をはなから排除しないようにも気を配った。現実の世界はSFを超えてしまったのではないか。

われわれが問うべきこと

私が人々と討議したのは、誰もが抱く疑問についてだ。それらの疑問を列挙する。

過去のパンデミック〔世界規模での感染爆発〕からは、どんな教訓が得られるのか。

今回のパンデミック、そしてこの危機が引き起こす飢餓、絶望感、別の疾患の誘発によって、今後さらに何人くらいの犠牲者が出るのか。どうすればこの感染症を克服できるのか。いつになったら治療薬、あるいはワクチンが開発されるのか。

重度のリスクに晒されるのは高齢者だけだとされていた状況下で、世界経済を停止させるべきだったのか。どれほど失業が増え、それはどのくらいの期間続くのか。

われわれはパンデミック発生以前の生活水準や生活様式を取り戻せるのだろうか。消費、労働、恋愛の形態は、元に戻るのだろうか。それはいつのことなのか。誰が失業するのか。消滅する職業は何か。新たに登場する職業は何か。

パンデミックに対する戦いに傾注するあまり、その他の戦い、とりわけ、女性、子供、社会的弱者などの人権のための闘争がおろそかにならないようにするには、どうすべきか。

今回のパンデミック危機からいち早く抜け出す国はどこか。敗れ去る国はどこか。

われわれは民主主義を維持できるのか。自身の健康状態を包み隠さず申告しなければならないシステムになっても、われわれは個人の自由を保護できるのか。

一変した状況下で、それまで抱いていた考えや願い、時代遅れになった計画へのこだわりからどう脱するべきか。

世の中の役に立つには何をなすべきか。自分自身、他者、世界、死に対し、われわれはどう向き合うべきか。

死から目を背けることなかれ

なぜ、われわれは死と向き合う必要があるのか。それは何より、死がやがてわれわれの元に訪れるものだからだ。現代人は、死を完全に回避可能な事故のようなものとして捉える傾向があまりに強い。われわれは死を忘れ、否定する。個人に代わって、あらゆる社会、宗教、イデオロギーが死を引き受けようとする。

目前の出来事に意義を付し、生き生きと暮らしたいと願うなら、これらの疑問に回答を見出すことこそが必要だ。これまで以上に快活に、真の意味で生きるために。

※　※　※

私の怒り

人類は悪夢を乗り越えようとしているようだ。そして、ただ一つの願望、野望、悲痛な願いを抱いているようだ。それは、悪夢が終わり、危機が発生する以前の世界に戻ることだ。

私は、そうした無分別な態度に怒りを覚える。というのは、たとえこのパンデミックが自然に、あるいは治療薬やワクチンのおかげで魔法のように急速に終息したとしても、**われわれがパンデミック以前の世界に戻ることはあり得ない**からだ。

私は、ヨーロッパ諸国を含め、世界中の多くの政府がパニックに陥り、中国の独裁型対応に追随したことに怒りを覚える。中国では二〇二〇年一月、自国の経済活動に急ブレーキをかけたが、この方式は失敗した。一方、韓国をはじめとする民主国家は、どのような戦略を立てるべきかを理解したうえで世論を説得し、自国企業にマスクや検出用キットの製造に着手するよう指示し、経済活動の一時停止を回避した。この手本に倣うことをしなかった国々は、中国を模倣して都市封鎖を決断し、自国の経済活動を仮死状態に追いやった。

私は、非常に多くの国が長年にわたり、**国民の健康維持は国にとって負担ではなく財産**なのだと理解してこなかったこと、そして病院や介護の現場への財源を削減してきたことに怒りを覚える。

私は、一時停止している世の中を目の当たりにして怒りを覚える。その様子は、あらゆる変革を余儀なくされていることをわかっていながらも、行動に踏み切ることを避けているかのようだ。

私は、ほとんどすべての政府が、ショックから現実否認、現実否認から先延ばしへと移行し、挙句の果てには思考停止状態に陥っていることに怒りを覚える。

私は、本格的な戦時経済体制を敷こうという国が存在しないことに怒りを覚える。

私は、違法経済活動が人々の不幸を食い物にしていることに怒りを覚える。

私は、一時的と見せかけた、無為に自由を侵害する政策が施行されていることに怒りを覚える。私は、貧者とその子供たちが指導者たちの怠慢の付けを生涯かけて払わなくてはならないことに怒りを覚える。

私は、以前の世界に戻ることを夢見る多くの人々に怒りを覚える。そうした世界こそがこの危機を生み出したのだ。

私は、これから必要とされるであろう新たな社会像を説きながらも、そのような社会をどのようにして構築するのかというアイデアのかけらもなく綺麗ごとだけを並べ立てる人々の多さに怒りを覚える。

私は、この先に待つ緊急事態を克服するための提言をほとんど発せず、世論の幻想を正そうともしない指導者たち、あるいは、指導者気取りの人々に怒りを覚える。

パンデミックとの戦いは「戦争」である

歴史上のおもなパンデミックと同様、今回の新型コロナウイルスによるパンデミックは、何よりもまず、すでに起こりつつあった数々の展開を加速させている。悲惨な展開も前向きな展開も等しく加速させる、残酷な促進剤だ。

パンデミック、とくに今回のパンデミックとの戦いを戦争になぞらえることに異議を述べる人々がたくさんいた。しかしながら、これは間違いなく戦争なのだ。この戦いに打ち勝つのは、過去の敗戦国よりも戦勝国のほうが有利だ。ここ数十年の紛争にことごとく敗れ、第二次世界大戦中に敵国ナチスドイツに加担さえしたフランスのような国がパンデミックとの戦いに勝利を収めるのは容易ではない。

今回のパンデミックが発生した際、世界は戦争の勃発時と同様、数時間のうちに大混乱に陥った。そして、これも戦争の勃発時と同様、本格的な戦略を提示できた者は、ほとんどの国においてほぼ皆無だった。

一九一四年七月〔第一次世界大戦〕と一九三九年九月〔第二次世界大戦〕のときと同様、人々は、今回のパンデミックは数ヵ月もすれば終息すると思っていた。

パンデミックでは戦争と同様、人々の基本的自由は制限されることになる。多くの人々が命を落とすことになる。多くの指導者が失脚することになる。**それまでの世界に戻ろうと願う者たちと、そのようなことは、社会、政治、経済、エコロジーの観点から不可能だと理解する者たちとの間で、激しい論争が起こる**だろう。

戦時中と同様、すべては死との関係において展開する。**個人でなく集団の死であり、私的な出来事としての死でなく、可視化された死である。**死は巷に溢れ返り、独自性を失う。こうして各人の命の独自性も失われる。

危機をチャンスに変える「命の経済」

したがって、すべては時間との関係において展開する。なぜなら、パンデミックにおいては時間だけが重要な価値をもつからだ（戦争もまた、同様のことを人々に再認識させる）。この危機をチャンスに変える者たちだけでなく、あらゆる人々の時間が、いかなる事態に陥ろうとも価値をもつ。

戦時中と同様、最初に勇気を振り絞って武器を手にした者たちが勝者になるだろう。そのためには、斬新な計画を滞りなく遂行しなければならない。私はこの計画を**「命の経済」**

と命名する。

人類はこれまでにも数々の大きな危機に遭遇したが、多くの人々は事態を直視しようとしなかった。そして、幼稚なプライドから、彼らは悪が打ち負かされると信じ、傲慢にも自分たちが悪を滅ぼしたのだと勘違いした。すべての警告をあまりにも尚早に捨て去り、それまでの世界に戻った。そのような人々は危機ですべてを失った。

臆病で傲慢な彼らとは反対に、**起こりつつある変遷を見抜き、混乱の時代を超越とパラダイムシフトの瞬間に変える**ことができた人々もいた。われわれも、このパンデミックの危機をチャンスに変えようではないか。今こそそのときだ。

※本書で紹介するデータは、二〇二〇年七月一六日時点のものであることをお断りしておく。

第一章
命の値段が安かったとき

われわれは、祖先が遭遇した出来事と比較しなければ、自分たちに降りかかった災難の本質を正確に把握できない。つまり、過去の世代の人々が同様の性質、あるいは同様の規模の出来事を否応なく経験したときのことになぞらえて考えるのだ。

どの時代においても、人類は、恐怖、病気、苦悩、死に直面してきた。そして、文明を定義するのはいつも死との関係に他ならない。**死に意味を付与することに成功すると、その文明は繁栄する。逆に、死に意味を見出すことができないと、その文明は消滅する。**

だからこそ、感染症は文明にとってきわめて重要な出来事なのだ。この感染症流行の渦中において、人類は苦悩、病気、死と向き合う。感染症のもつ意味合いは、これまでにないほど強烈になっている。人類はもはや個人でなく、社会一丸となってこの事態に立ち向かう。文明にとっての審判の時である。

指導者のなかには、人々を保護する最良の戦略を選択できた者もいた。反対に、指導者が間違った戦略を選択したり、他者や自分たちの死に意味を付与できなくなったりすると、パンデミックはすでに進行中の変化を加速させ、それまで存在しなかったイデオロギーや合法権力を生み出し、新たな指導者の登場を促し、地政学を一変させる。

これこそが、これから語られる本書の教訓だ。

まずは、今日起きていることを正確に把握するために、感染症の歴史を振り返ってみる必要がある。

帝国を守るという信念

古代文明と感染症

紀元前五〇〇〇年くらいまでの間に、メソポタミア、インド、中国では、人間がある程度密集して暮らすようになったため、疫病が発生するようになった。疫病は、最初は集落、次に都市と帝国において発生したが、人類は、家畜化に成功した動物とともに暮らし続けた。

家畜化したこれらの動物がウイルスや細菌などの病原体を人間にうつすことは、まだ知られていなかった。細菌が、ペスト、結核、梅毒、ハンセン病、コレラなどの病気を、そしてウイルスがインフルエンザなどの病気をうつすこともまだ知られていなかった。

パンデミックのなかでもハンセン病については、インドのラージャスターン州で見つかった四〇〇〇年以上前の骸骨からその痕跡が確認されている。

疫病に関する最初期の記述は、三〇〇〇年ほど前〔諸説ある〕のメソポタミアと中国の文書にみられる。これらの文書には、神々が人間を弄ぶため、あるいは罰するために地上に疫病という災いを広めるのだという当時の人々の不平が記されている。

このようにして、疫病は過ちを犯した人間を罰するために神々がもたらしたものだという考えが生まれた。**疫病が発生すると、権力者、宗教者、軍人、政治家は、自分たちの責任を転嫁するために、人々に罪悪感を植え付けよう、あるいはスケープゴートを見つけ出そうと躍起になった。**

こうした工作がいつも成功したとは限らない。疫病は、家族、都市、人民を破壊し、個人の命と死の尊さを否定し、王朝、宗教、帝国の消滅を加速させた。

旧約聖書に見る感染症

トーラー（モーセ五書）には、背信の罪は「悪疫による死」によって罰せられると記してある。とくに、重い皮膚病（ヘブライ語でツァーラアト。湿疹やただれ、衣服のカビなどを指す）は天罰と見なされた（ヨブ記では、これを「死の初子《うい ご》」と表現している）。ユダヤの戒律は、疫病を堕落や偶像崇拝に対する天罰と解釈した。

旧約聖書に最初に登場する疫病は、ファラオ（古代エジプトの君主の称号）に関する記述だ。神はファラオに対し、（奴隷とされていた）ユダヤ人を解放することを許さなければ、エジプトに重い皮膚病を広めると脅して警告する。神は一方、ユダヤ人に対し、エジプトの支配から解放されたいか、あらゆる疫病から免れたいか、異教の神々を捨てる覚悟があるかと問いただす。

旧約聖書ではまた、神は人間にたびたび隔離を課す。洪水から逃れるノアの方舟しかり、（神がエジプトにもたらした「十《とお》の災い」の最後の一つ）一〇番目の災い（長子を皆殺しにする疫病の蔓延により、幼い子供が死ぬ）から逃れるエジプトのユダヤ人しかりである。「朝まであなたがたは、ひとりも家の戸の外に出てはならない」（『出エジプト記』第一二章二二（日本聖書協会の口語訳より引用）」。**旧約聖書には、この隔離という考えが至るところに登場する。**皮膚病に罹《かか》った者は集団から排除されて暮らすことになる。「その人は汚れた者であるから、離れて住まなければならない。すなわち、そのすまいは宿営の外でなければならない」（『レビ記』一三章四六（日本聖書協会の口語訳より引用））。

旧約聖書の隔離の期間には、しばしば四〇という数字が登場する（ただし、重い皮膚病は除く。その隔離は一般的に無期限だった）。たとえば、ノアの方舟の四〇日やユダヤ人のシナイ半島彷徨の四〇年である。**隔離の実践は、「復活」への道のりとなる。**ノアの方舟の場合では、一時的であっても罪のない、神の怒りを引き起こすことのない人間の出現であり、ユダヤ人の場合では、シナイ半島の荒野を四〇年間さまよった後の約束の地だ。

一般的にユダヤの戒律では、疫病はメシアの到来を早めるために快適さを諦めるよう人々に促す。したがって、**疫病には、罪悪、贖罪、希望という三つの意味が同時に宿る。**

疫病の災いが過ぎ去った後、ほとんどの場合ではたしかにこれら三つが見出せる。

中国、インド、エジプトには、紀元前六〇〇年ごろにハンセン病が流行していたことに関する文書が数多く残っている。

古代ギリシア、民主制の崩壊

感染症の大流行は帝国だけでなく都市国家も襲った。紀元前四三〇年ごろ、エチオピアから広がったチフス〔諸説ある〕がアテナイを襲った。当時のアテナイはその勢力と民主制政治の絶頂期にあった。アテナイの医師たちは、空気、水、食糧に「瘴気《しょうき》〔疫病を引き起こす不純物〕」が含まれていると訴えたが、アテナイの人口の三分の一に相当する七万人が命を落とした。アテナイの最盛期を築き上げた重鎮ペリクレスのような裕福な権力者でさえこの病に罹って死んだ。

こうした事態に直面したアテナイ市民は、明日死ぬかもしれないのになぜ法律を守らなければならないのかと、社会秩序に疑問を抱いた。古代アテナイの歴史家トゥキュディデスは『戦史』に「何の利益も得られず、やがてはみな病苦に打ち負かされ」た〔久保正彰訳、岩波文庫、一九六六年、二三五頁より引用〕と記している。しばらくの間スパルタの手に落ちた後に解放されたアテナイでは、〔少数派による支配体制である〕三〇人政権が権力を手にした。しかし、〔その翌年の〕紀元前四〇三年にはポピュリスト政権が誕生した。詩人アリストパネスと哲学者プラトンは、ソクラテスに死刑を宣告した大衆扇動者たちを糾弾した。

紀元前三三八年、疫病の発生から一世紀後、アテナイはマケドニアのフィリッポス二世に降伏した。こうしてアテナイは没落した。

古代ギリシアから導き出せる教訓を記す。**感染症が蔓延すると、自由は疑問視されるようになり、民主的であろうとする社会体制は崩壊する恐れがある。**

ローマの神々を葬り去る

散発的に（とくに、カルタゴ軍に包囲されたシチリア島のシラクサで）疫病が流行した後の一六六年、ローマでは「アントニヌスの疫病」と呼ばれる感染症（おそらく天然痘）の大流行が始まり、二〇年以上も続いた。ローマ皇帝ルキウス・ウェルスの軍隊が地中海東部からもち込んだこの疫病により、ローマ帝国の人口の三分一に相当する一〇〇〇万人近くが命を落とした。人々はローマの神々を信じなくなり、キリスト教と古代ペルシア発祥のマズダー崇拝〔ゾロアスター教〕を信仰するようになった。これがローマ帝国崩壊の始まりだった。

二五一年、いわゆる「キプロスの疫病」という新たな疫病により、ギリシアとイタリアの都市で暮らす大勢の人々がまたしても犠牲になった。四四四年、イギリスを支配下においていたローマ帝国軍の間で疫病が流行り、部隊は壊滅した。

東ローマ帝国を蝕む腺ペスト

五四一年、（ネズミなどの脊椎動物が運んでくる）ペスト菌を保有したノミによる吸血から感染する腺ペストが初めて大流行した。いわゆる「ユスティニアヌス（東ローマ帝国ユスティニアヌス王朝の第二皇帝、ユスティニアヌス一世）のペスト」だが、最初に発生したのは中国だ。このペストはエジプトを経由し、東ローマ帝国の首都になったコンスタンティノープルまですぐに達した。コンスタンティノープルでは毎日一万人の死亡者が出た。東ローマ帝国の歴史家プロコピオスは、「召使の主人はいなかった。金持ちに仕える召使はいなかった。この静まり返った村には、空き家と閉じた商店しかなかった」と記している。ユスティニアヌス一世自身も感染した（だが、一命をとりとめた）。

ユスティニアヌス一世は、「困った人々にお金を配るために国庫から拠出する」決定を下した。軍隊は、道路を清掃し、巨大な共同墓地をつくり、商店を警護した。金持ちは疫病に罹らないと思われていた。ダイヤモンドを身につけていれば疫病に罹らないという戯言さえ囁かれた。これらの措置を講じたにもかかわらず、腺ペストは地中海全域に蔓延し、ラテン語圏では二五〇〇万人以上、世界中ではおそらく一億人が死亡した。これが東ローマ帝国崩壊の始まりだった。

イスラームの知恵

新興のイスラーム圏でもこの腺ペストは流行したが、厳格な規律を課すことによって人々は生き延びた。ムハンマドは、**「ある国で疫病が広まっているという話を聞いたのなら、その国に行ってはいけない。しかし、自分がいる国で疫病が発生したなら、そこから離れてはいけない」**と語ったとされる。イスラーム教の聖典クルアーンには、「ライオンから逃げるように、ハンセン病から逃げなさい」と記してある。イスラーム勢力は東ローマ帝国の凋落を利用して中東を支配し始めた。

世界各地で猛威を振るう疫病

六六四年、「黄色の疫病」〔ペストまたは天然痘と推測されている〕が猛威を振るったイギリスとアイルランドでは、数世紀にわたって貧困と無秩序がはびこった。

七三五年（から七三七年にかけて）、朝鮮半島から新たに流入した疫病（天然痘とされる）によって日本列島の人口の三分の一が死亡した（天平の疫病大流行）。その犠牲者には、土地の私有化を認めて（三世一身法。墾田永年私財法の前身）開拓意欲を煽り、耕作地を増加させるように聖武天皇に促した、藤原四兄弟も含まれていた。この疫病が終息すると、新たな政府高官（鈴鹿王）が登場した。聖武天皇は感謝の意を示すために大仏像の造立の詔を出した。これが今日までその姿をとどめている奈良の大仏（東大寺盧舎那仏像）である。

八〇〇年以降、天然痘の流行はますます頻繁に起こるようになったが、ペストは五〇〇年間姿を消していた。

治安当局だけでは王国を守れない

中世を揺るがす

一一世紀、十字軍がハンセン病を再びヨーロッパに持ち込んだ。後日、ヴォルテールは次のように記した。「十字軍がわれわれにもたらした唯一のものは、この疥癬《かいせん》〔皮膚感染症。当時、ハンセン病が悪化すると角化型疥癬を併発する例が多かった〕だ。そしてそれはわれわれの手元に残る唯一のものだったのだ」。

こうした事態に直面し、人々は祈りを捧げるだけでは埒が明かないと考えた。患者を隔離したのである。**宗教家に代わり、憲兵が登場した。**一三世紀、人口八〇〇〇万人〔諸説ある〕のヨーロッパでは、一万三〇〇〇以上のハンセン病隔離病院に六〇万人の患者が収容された。

その後しばらくして流行した腺ペスト〔「黒死病」〕によって、宗教家の手にしていた権力は憲兵へと完全に移行した。一三四六年、金帳汗国〔ジョチ・ウルス。「キプチャク・ハン国」とも〕（チンギス・ハンの後裔が支配した帝国の一つ）のモンゴル人がクリミア半島の港町カッファ〔現在のフェオドシヤ〕に駐在していたジェノヴァ人に腺ペストをうつした。カッファはジェノヴァ人の商業拠点だったのだ。ジェノヴァ人は腺ペストを、コンスタンティノープル、シチリア島のメッシーナ、フランスのマルセイユにもち込んだ。一三四七年から一三五二年にかけて七五〇〇万人が死亡した（そのうち二五〇〇万人がヨーロッパ人だった。これはヨーロッパの人口の三分の一に相当した）。ヨーロッパでは、ミラノなどのごく一部の地域は感染爆発を免れた。フランスでは、穀物とブドウの生産量は三〇％から五〇％下落した。小麦の価格は一〇年で四倍に跳ね上がった。

中世の地政学的均衡は完全に崩れた。戦争に何度か敗れ、内戦で疲弊した東ローマ帝国は凋落した。ヴァイキングは北アメリカ大陸の探査を停止した。

世俗化の始まり

ヨーロッパでは、疫病を退治するのは宗教だと信じる者たちが相変わらず存在した。一三五〇年〔ローマ教皇クレメンス六世が、ローマ巡礼を促す「聖年」と定めた〕、一〇〇万人ほどの信者がローマを目指した。しかし、これらの巡礼者の大半は道半ばにして息絶えた。そこで犯人探しが始まり、井戸に毒を入れたとしてユダヤ人が糾弾された。

疫病の勢いが衰えないため、宗教は存在意義を失った。一四世紀中ごろ、フランスのアヴィニョンの医師ギー・ド・ショーリアックは次のように記している。「〔人々は〕召使に看取られることなく死んだ。埋葬の際に司祭はいなかった。父親が息子を見舞うことも、息子が父親を見舞うこともなかった。慈愛の精神は失われ、希望は打ち砕かれた」。ドイツの画家ハンス・ホルバインは木版画シリーズ『死の舞踏』において、社会的な地位に関係なく疫病による死者が続発する様子を描いた。地主は不動産収入が途絶えたために没落した。

このパンデミックと戦うため、人々は何らかの対策を試みようとした。そこで彼らは、過去にハンセン病患者に対してとられた扱いを参考に、感染者や感染が疑われる者を閉じ込めた。旧約聖書に登場する隔離である。期間も旧約聖書と同様、四〇日間だった〔検疫のための隔離を意味する「quarantaine」というフランス語は、ヴェネト語で「四〇日」を意味する「quarantena」が由来とされる〕。ラグサ共和国〔クロアチアにあった都市共和国〕の指導者は、**ペストが蔓延する地域から来るすべての船舶に対して四〇日間の隔離を課した。**

こうした対策は効果をもたらしたと思われる。**富裕層は逃げ出すのではなく自宅に閉じこもるようになった。**ボッカッチョは『デカメロン』において、ペストから逃れるために郊外に引きこもる若者たちの様子を描いた。

ペストは収束に向かった。ヨーロッパでは、フランドルやイタリアなどのとくに豊かだった地域に農奴がいなくなり、賃金が上昇した。つまり、ペストにより、封建制は崩壊し、富は生き残った一部の者たちに集中し、裕福な商人が生まれたのだ。たとえば、メディチ家〔フィレンツェの支配者〕などの新たなエリートが台頭するようになった。こうしてジェノヴァとフィレンツェがヨーロッパの商業の中心地になった。宗教が死について説いても、真剣に耳を傾ける者はほとんどいなくなった。

大航海時代とともに

一四九二年になると、今度はヨーロッパが、天然痘、ハンセン病、麻疹（はしか）、結核、マラリアなどの疫病をアメリカ大陸に持ち込んだ。イスパニョーラ島の先住民タイノ族の人口は、五〇年間で六万人〔数百万人との説もある〕から五〇〇人未満へと激減した〔おもな死因は天然痘とされる〕。その少し後、メキシコでもアステカの人口が二五〇〇万人から二〇〇万人へと激減した〔サルモネラ感染症の可能性が論じられている〕。

一六四八年、アフリカから連れてこられた奴隷はメキシコに黄熱病をもち込み、ヨーロッパ人は梅毒を持ち帰った。イタリアが握っていた権力は、北海の沿岸諸国へと移った。

一六六五年、ロンドンで新たに流行したペストにより、ロンドン市民の五人に一人に相当する七万五〇〇〇人が命を落とした。貧民街では住民の四分の三が犠牲になった。その後、この疫病は商業の中心地だったアムステルダムに伝染し、ヨーロッパ全土に蔓延した。こうした事態に対しても監視による取り締まり〔市民の移動制限、感染者家族の外出禁止など〕以外の方策はなかった。治安当局の権力は高まり、ルーアン〔フランス北部の都市〕とパリの議会は、厳格な措置を打ち出した。これらの措置は、少なくとも金持ちを保護するという点においては一時的な効果をもたらした。しかしながら一六六八年、ペストは、アミアン、ラン、ボーヴェ、ル・アーヴル〔ともにフランス北部の都市〕に達した。パリを感染から守るために財務総監コルベールは検疫警戒線を敷いた。フランス王国は地方議会を凌駕する絶大な権力をもっていたのだ。この対策が功を奏し、パリは感染を免れた。

またしてもパンデミックによってフランスの国家権力は強化された。しかも今回の場合は初めて、国家が疫病を管理するという大きな変化があった。

一六七〇年の初頭、ヨーロッパではペストは収束に向かった。しかし一七二〇年、マルセイユでペストが再び流行すると、フランス王はプロヴァンス地方全体を隔離する決定を下した。この対策が功を奏し、中央政府の権力はさらに強化された。**これを境に、疫病との戦いは国家の担うべき仕事となった。**

啓蒙思想：理性と科学

一八世紀の間、ペスト以外の疫病も猛威を振るっていた。たとえば、ヨーロッパでは毎年四〇万人近くが天然痘に罹って死亡した。

一七九三年、黄熱病（マラリアと同様、蚊が媒介する）により、フィラデルフィアでは五〇

○○人以上が死亡した。その後、この黄熱病はスペインとマルセイユでも流行した。
宗教は表舞台から消え、代わって治安当局が台頭した。国家の出番となったのだ。

しかし、それだけでは感染拡大を防ぐには不充分だ。何かが必要だった。その何かを見出したのが、**理性と科学、すなわち、清潔とワクチン接種を成功させた啓蒙思想**だ。一七九六年、イギリスの医学者ジェンナーが天然痘のワクチン接種〔牛痘法〕を開始した。といっても、これはヨーロッパでの話であって、中国やアフリカでは天然痘のワクチン接種〔人痘法。天然痘患者のかさぶたや膿を乾燥させ、鼻腔や傷口につける〕がかなり以前から行われていた。

一国の努力だけでは国を守れない

衛生観念の向上

一八一七年にインドで発生したコレラ〔アジアからアフリカに拡大。コレラの第一回パンデミック」は、一八三〇年にロシアで蔓延した後、東ヨーロッパに達し、一八三一年にベルリン、一八三二年にヨーロッパ全土で流行した〔コレラの第二次パンデミック〕。この恐るべき疫病は、アムステルダムに代わって世界経済の中心都市になったロンドンでとくに猛威を振るった。

ヨーロッパの都市部では、産業革命によって人口の集積と交通機関の発展が起きた。しかし、大量の労働者を受け入れるための公衆衛生設備や住宅が整っていなかったため、コレラ感染者の排泄物による飲料水の汚染が進み、感染が広がった。三年間でイギリスでは五〇万人以上、フランスでは政府の長だったカジミール・ピエール＝ペリエを含む一〇万人以上がコレラに罹って死亡した。

治安当局だけではもはや疫病の流行を阻止できなかった。住環境を清潔に保つ必要があった。

一八三三年になるとロンドンやパリなどのヨーロッパの都市部では、あばら家は取り壊され、上下水道が敷かれるなど、不衛生な地区は浄化された。郵便物は配達前にホワイトビネガー〔無色透明の酢〕に浸された。道路は清掃された。軍隊が敷く検疫警戒線を無断で越えようとする者は撃ち殺された。都市部だけでなく農村部においても対策が講じられた。フランスのオー＝ラン県に位置する小さな自治体セルネーでは、「役場は公衆衛生に関する厳格な措置を打ち出した。町にあった堆肥の山は片付けられた。汚物を置くことは禁止され、違反すると罰せられた。店主は商品棚や器具を石灰で消毒するようにと指導された。工場では感染症の症状が少しでも表れたら、労働者は自宅に送り返された。ところが、労働者はしばしば初期症状を無視した……。毎日、各家庭にはボランティアが訪れた。コレラの感染が疑われる場合、その家族は二週間避難した。住居や家具は次亜塩素酸水で消毒された」。

一八三八年、オスマン帝国では、コンスタンティノープルのスルタンがペストを撲滅するための衛生最高理事会を設立した。この審議会は現地と西側の専門家を協働させる仕組みをつくった。モロッコとペルシアでもこれと似たような審議会がつくられた。同年一八三八年、フランス王ルイ・フィリップの外務大臣モレ伯爵は、地中海各地の港湾衛生対策を統一するための国際会議の開催を提唱した。しかしながら、初めての国際衛生会議がパリで開催されたのは、一八五一年になってからのことだった。

一八五五年、中国ではペストの大流行によって一五〇〇万人が死亡した。その後、このペストはインドも襲った。中国とインドでは、この疫病によって暴動が勃発したため、政治と経済は大混乱に陥った。アジアが長期にわたる危機に陥ったからこそ、ヨーロッパは一世紀以上にわたってアジアを支配することができたのだ。

感染症管理体制の確立

検疫と国際協調

封建制度は廃れ、貴族や地主を頼りにしない資本主義は通商の自由を必要とした。**資本主義にとって隔離は不都合になった**のだ。

一八六〇年には、イギリスでも自国の港に到着するすべての船舶に隔離を課す措置を廃止し、全員に対して検疫を行うだけになった。検疫の際に見つかった感染者は隔離病院（fever hospital：発熱病院）へと搬送された。感染者以外の乗員は、寄港してから一週間後に検疫当局が健康状態を確認できるよう、イギリスでの滞在先住所を申告するだけでよかった。

このイギリス方式はヨーロッパ全体での規範になり、隔離と同等の効果をもたらした。一九世紀のヨーロッパでは、一九世紀末にドイツの医師ロベルト・コッホが結核菌を発見するまでの間、そしてその後も引き続き、結核によって成人の四分の一が命を落としていた。

一九〇七年、一二ヵ国が参加する国際公衆衛生事務局（ＯＩＨＰ）がパリに設立された

（一八七四年と一九〇三年にも設立が試みられたが、頓挫した）。ＯＩＨＰは、とくにヨーロッパにおいて再燃が恐れられていたコレラを撲滅するための、公衆衛生に関する国際協調を促す初の専門機関だった。その任務は、加盟国間で疫病に関する情報を一元化することだった。加盟国に包括的な公衆衛生上の規範を課すために、常任の事務局長は国際会議をたびたび催した。

猛威を振るうインフルエンザ

一八八九年、（オルトミクソウイルス科のウイルスが引き起こす感染症である）インフルエンザが初めて大規模な世界的流行を見せた。ロシアで始まったこの大流行は、モスクワ、フィンランド、ポーランドで流行し、その翌年には北アメリカとアフリカを襲った。一八九〇年代末に三六万人を死亡させたこのインフルエンザは、その後しばらくの間、息を潜めた。

だが、一九一八年に再び猛威を振るった。まずは中国、次にアメリカとヨーロッパを襲ったが、アメリカとヨーロッパは、軍事作戦（第一次世界大戦）を停止させるわけにはいかなかった。完全な報道規制が敷かれていたが、中立国だったスペインがこのインフルエンザによる被害を報道した（こうしてこの疫病は「スペイン風邪」と呼ばれるようになった）。パリの日刊紙『アントランシジャン』紙は、この風邪を「まったく危険性のない病気」と論じた。各国の指導者である老人たちは、戦争と疫病の地に若者たちを送り込み、彼らを犠牲にした。

一九一八年の春、サンフランシスコ、デモイン、ミルウォーキー、セントルイス、カンザスシティなどのアメリカの都市では、思い切ったスペイン風邪対策が打ち出された。**学校、教会、劇場、集会所は閉鎖され、一〇人以上の集会は禁止された。**『米国細胞病理学会誌』に発表された最近の研究によると、これらの都市では感染率を半減させることに成功したという。しかし、連邦政府レベルでは施設の閉鎖指示や密集を避ける対策は一切講じられなかった。

同年一九一八年一一月、アメリカのほとんどの都市では規制を緩和し、集団隔離を解除したため、パンデミックの暴力は再び倍増した。死亡率が再上昇したのである。規制を維持していたなら、サンフランシスコの死亡率は記録した数値の二〇分の一くらいだったはずだ。

最終的に、スペイン風邪による死亡者の数は、当時の世界人口一八億人の三%から六%に相当する五〇〇〇万人から一億二〇〇〇万人に達した。死亡者の三分の二は一八歳から五〇歳であり、とくに男性の死亡者が多かった（アメリカでは、スペイン風邪による男性の死亡率は、女性の死亡率よりも一〇万人当たり一七四人多かった)。

油断大敵

一九一九年、アメリカは新たに設立された国際連盟に加盟していないのにもかかわらず、国際連盟が先述のOIHPを管理下に置くことに反対した。そこで国際連盟は独自の公衆衛生委員会(国際連盟保健機関、一九二三年)を設立し、一九二六年に天然痘とチフスに関する史上初の管理規定をはじめとする国際衛生条約を採択した。しかし、これらの規定が効力をもつのは、この条約に批准した国に対してだけだった。

一九二八年、イギリスの医師アレクサンダー・フレミングは、細菌感染を治療できる世界初の抗生物質(後にペニシリンと名付けられた)を偶然に発見した。ペニシリンが医療現場に登場するのは、その一〇年以上後のことだ。

集団隔離措置が廃止されたのと同時期に、疫病撲滅に対する財政支援も打ち切られた。一九二〇年代という「狂乱の時代」が過ぎ去ると、深刻な経済危機が再び訪れた。一九三〇年、アメリカでは後にコロナウイルス感染症と呼ばれる疫病が初めて観察された。このウイルスは家禽に宿り、宿主に呼吸器症状を引き起こす。

イギリスは勢力を失った。イギリスの勢力を奪ったのは、巨大なライバルのドイツでも同盟国のフランスでもなく、アメリカだった。

覚えておくべき二つの教訓を記す。そして、**感染症の流行に直面しながら、早い段階で戦いに勝利したと考えるのは幻想である。疫病対策への財政出動を早々に打ち切るのは拙速である。幻想と拙速はいずれも、われわれを惨憺たる結果へと導く。**

同時期、南アフリカ共和国出身のウイルス学者であるマックス・タイラーは、アメリカで黄熱ワクチンを開発した。

アメリカの医学者ジョナス・ソークは、インフルエンザワクチンを開発した。一九四四年、アメリカ軍はこのワクチンを初めて利用した。

第二次世界大戦中、アメリカ軍での発疹チフス罹患者数は公式記録によると一〇四人に過ぎず、死亡者はゼロだったという。というのも、アメリカ兵はワクチンを接種していたからだ。一方、発疹チフスの流行はロシアに駐留していたドイツ軍を叩きのめした。当時、ロシアの軍隊もこの感染症で壊滅状態だった。発疹チフスは強制収容所内でも流行した。アンネ・フランクも他の大勢の被収容者と同様に、この感染症に罹患して命を落とした。

一九五三年、先述のソークは（フランスの医師レピーヌとロシア出身のアメリカの医学者サビンも同時期に）、ポリオ（急性灰白髄炎）ワクチンを開発した。

一人一人の健康状態が全員に関係する

世界保健機関（WHO）の設立

一九四五年に国際連合が発足すると、医療に特化した世界的な機関を新設すべきだという声が上がった。こうした声を受け、ニューヨークで開かれ六一ヵ国が参加した国際衛生会議において世界保健機関（WHO）が設立された。WHOの本部はジュネーヴに置かれた。

加盟国の国民の健康状態だけを対象にしたそれまでの組織とは異なり、WHOは「すべての民族のための健康の権利」を規定した。WHOの使命は、健康に関する規範を打ち立て、医療の研究や教育を支援し、疫病の蔓延を阻止する措置を講じ、支援を求めるすべての国に手を差し伸べることだ。しかしながら、WHOには権威や権力がほとんどない。最低限の医薬品の利用を国民に確約するという基本的権利を保障しない国や、保健衛生に必要な投資に関する助言に従わない国に、WHOが制裁を科すことはないのだ。

ワクチン接種の重要性

一九五七年から一九五九年にかけて流行した「アジア風邪」により、世界中でおよそ二〇〇万人が死亡した。ちなみに、当時の人口が約四五〇〇万人だったフランスでは、(通常の季節性インフルエンザの一万人に対して)三万人が犠牲になった。あまり知られていないが、この疫病の流行により、アメリカとヨーロッパは不況に陥った。

一九六六年、スコットランド出身の独学のウイルス学者(病院で検査技師をしながら、研究と技術改良を行った)ジューン・アルメイダと、彼女の共同研究者であるデイヴィッド・タイレルは、ヒトに感染するコロナウイルスを発見した。一九六八年、科学誌『ネイチャー』において「コロナウイルス」という言葉が初めて登場した(アルメイダ、タイレルらによる命名)。

一九六八年、別の疫病(香港風邪)の流行により、世界中で一〇〇万人(数百万人とも)が死亡した。フランスでは三万五〇〇〇人が命を落とした(一二月だけで二万五〇〇〇人が死亡した)。電車は運転士がいなくなり、運行停止になった。学校は教師が不足して閉鎖された。この疫病は一般にはあまり認知されていないが、高齢者のワクチン接種の必要性が認知されるきっかけにはなった。一九六九年一〇月、ＷＨＯはまたも、この疫病を単なる季節性インフルエンザだと片付けた。

世界ではおよそ五億人が天然痘の犠牲になったが、その一〇年後の一九八〇年、ＷＨＯは〔封じ込めとワクチン接種を戦略的に進めることで〕天然痘の世界根絶を宣言した。

一九七六年にスーダンとコンゴ民主共和国において、これまでにない重篤な疫病が突発的に流行した。エボラウイルスによる感染症だ。

エイズ、エボラ出血熱、そして次は……

謎の感染症

一九八一年六月、それまでにないまったく新たな性質の感染症が流行し始めた。アトランタの疫学研究所〔米国疾病予防管理センター〕は、ロスアンゼルス在住の五人の同性愛者が非常に稀な肺炎に苦しんでいることを報告した。その後、「３Ｈ〔ハイチ人、ホモセクシュアル、ヘモフィリア〔血友病患者〕〕の病気」と呼ばれ始めたこの病気は、後天性免疫不全症候群（ＡＩＤＳ：エイズ）だった。罹患するのは同性愛者だけではなかったのだ。一九八三年五月、パスツール研究所はエイズウイルスの分離に成功した。一九八七年、抗ＨＩＶ薬としてＡＺＴ〔アジドチミジン、別名ジドブジン〕が処方されたが、効果は限定的である一方、副作用は甚大だった。エイズ撲滅キャンペーンが始まった。一九九六年に設立された国際連合合同エイズ計画（ＵＮＡＩＤＳ）により、さまざまな専門機関が歩調を合わせるようになり、エイズ撲滅の体制が整った。人々の性行動を不可逆的かつ効果的に変革する必要があったのだ。一九九六年、アメリカではエイズ発生から初めて犠牲者の数が減少に転じた。

ＷＨＯとＵＮＡＩＤＳの報告書によると、一九九九年時点での累計感染者数は五〇〇〇万人、そのうちの一二〇〇万人がアフリカ人であり、死亡者は一六〇〇万人だったという。

パンデミックの予兆が次々と現れる

エイズ以外の疫病も蔓延した。一九九八年、一部の専門家は、**疫病が世界中に蔓延して社会と経済に深刻な影響をもたらす**と警鐘を鳴らし始めた。**同年、私は『21世紀事典』**〔柏倉康夫ほか訳、産業図書、一九九九年〕**において疫病の蔓延について注意を促した**〔アタリは、疫病の予期せぬ蔓延により、世界は集団隔離を余儀なくされ、ノマディズムと民主主義に再考が促されると、今から二〇年以上前に予測していた」。

二〇〇二年一一月、中国南部で動物由来のＳＡＲＳ（Severe Acute Respiratory Syndrome：重症急性呼吸器症候群）コロナウイルスという新たなウイルスが出現した。この新規感染症はすぐに原因が同定され、ＷＨＯは警鐘を鳴らした。二〇〇三年一月、中国の北京では学校閉鎖の決断が下された。二〇〇三年二月、ウイルスは香港とシンガポールに達した。香港では学校が閉鎖され、公の場での集会が禁止された。同年、中国のＧＤＰは一%減少した。だが**当時、世界のＧＤＰに占める中国の割合は四%に過ぎなかったので、中国経済の失速が世界経済にもたらした影響は軽微だった。**

二〇〇三年夏、ＳＡＲＳコロナウイルスの勢力は弱まり、収束へと向かった。**世界での累計感染者数はおよそ八〇〇〇人、死亡者は八〇〇人近くだったようだ。**フランス人の感染者は七人、死亡者は一人だけだった。

二〇〇五年、鳥インフルエンザがパニックを引き起こした。ウイルスがヒトに感染するのではないかという懸念からだ。フランス政府は、マスクと治療薬の戦略的備蓄を積み増す決定を下した。鳥インフルエンザの予防と治療に効果をもつ抗ウイルス薬として市場に唯一出ていた「タミフル®」を一四〇〇万回分備蓄したのだ。

深刻な金融危機のさなかであった二〇〇九年一月、メキシコ、次いでアメリカでインフルエンザが流行し始めた〔諸説ある〕。三月、このインフルエンザのウイルスはH1N1亜型だと判明した。このウイルスの感染者が重症化する割合は、季節性のインフルエンザと同等(一〇〇〇人当たり二～三人)だったが、妊婦と肥満の男性では死亡率が高まる傾向が確認できた。フランスでは、このインフルエンザは春に流行し始めた。四月、一部の学校で学級閉鎖があった。そこで二〇〇九年七月、フランス政府は、このインフルエンザに対応する九四〇〇万回分のワクチンと、一七億枚のマスク(一〇億枚のサージカルマスク〔飛沫防止用の医療用使い捨てマスク〕と七億枚のFFP2マスク〔空気感染防止用の防護マスク〕)を発注した。

同年二〇〇九年、フランスの国防大臣の報告書に次ぎ、アメリカ中央情報局(CIA)の報告書には、「**感染力のきわめて強い、重篤な呼吸器感染を引き起こす新たな病気が発生するだろう。だが、適切な治療法が存在しないため、世界中でパンデミックが発生する恐れがある**」と記されていた。このパンデミックが最初に発生するのは、「おそらく人口密度が高く、ヒトと動物が密接して生活している地区だろう。たとえば中国だ。中国には家畜と接触しながら暮らしている地区がある」と付言してあった。

同年二〇〇九年、私は著書『危機とサバイバル』(林昌宏訳、作品社、二〇一四年)**におい**

て、パンデミックについて再び警鐘を鳴らした〔アタリは、「制御不能のパンデミック」という章（二二九頁）で、今後一〇年以内に世界的なパンデミックが発生すると予測し、パンデミックから逃れる戦略を詳述した〕。

二〇一〇年一月二三日、フランスではこのパンデミックの終息が宣言された。五五〇万人がワクチンを接種した。少なくとも五〇〇人が死亡したと思われる。二〇一〇年八月一〇日、ＷＨＯは流行の終息を宣言し、世界中でおよそ一万八五〇〇人が死亡したと発表した（一方、季節性インフルエンザでは毎年三〇万人が犠牲になっていた）。だが、このパンデミックによる実際の犠牲者の数は、一〇万人から五七万五〇〇〇人と推定されている。

ほとんどの人々はパンデミックの脅威をまだ察知していなかった。

初動が大切

二〇一二年、アメリカでＨＩＶ予防策としてＰｒＥＰ（曝露前予防内服）法が認可された。サンフランシスコではＨＩＶ感染症の発生件数が半減した。抑え込みに成功したのだ。だが、他の感染症の流行が拡大、加速していることに気づいた者は誰もいなかった。

二〇一四年、エボラ出血熱がアフリカで再発生した。感染した野生動物の肉を食べたことから始まったと思われるエボラ出血熱により、およそ一万一〇〇〇人が死亡したが、このパンデミックはすぐに終息した。というのは、エボラ出血熱に感染するとすぐに死に至るため、感染者は多くの人にうつす前に死んでしまうからだ。

二〇一五年、韓国はＭＥＲＳ（Middle East Respiratory Syndrome：中東呼吸器症候群）コロナウイルスという新たなコロナウイルスによる感染症の初期対応に失敗した。この流行は中東から始まり、ラクダからヒトに広がった。この疫病により、韓国では一八六人が感染し三七人が死亡した。この失敗は韓国の国民のトラウマになった。これは政治的スキャンダルだった。韓国政府は同じ過ちを繰り返さないと決意し、用意周到に準備した。**コロナウイルス感染症が流行し始めたら、国民全員がマスクを着用し、検査を実施し、感染者ならびに感染者と濃密な接触をもった者は隔離することがきわめて重要だと学んだ**のだ。二〇一八年、韓国政府は、感染症を扱う韓国疾病管理本部（ＫＣＤＣ）内に、新たなコロナウイルス再来の監視と準備を行う作業部会を設置した。

充分に予測できた新型感染症

パンデミックの数は増えた。ＷＨＯには毎年およそ四〇件のコレラの感染者が報告されている。毎年の犠牲者の数は、黄熱病がいまだに三万人、マラリアが四五万人だ。一九七〇年以降、およそ一五〇〇種類の感染病原体が発見された。これらのうち七〇％が動物由来だ。二〇〇九年以降、ＷＨＯは「国際的に懸念される公衆衛生上の緊急事態宣言」を六回発令した。Ｈ１Ｎ１亜型の新型インフルエンザ（二〇〇九年）、ポリオウイルス感染症（二〇一四年）、エボラ出血熱（二〇一四年と二〇一九年）、ジカ熱（二〇一六年）だ（六回目は、二〇一九年以降の新型コロナウイルス感染症（ＣＯＶＩＤ-19））。マダガスカルで二〇一七年に発生したペストでは、感染者二四一七人のうち二〇九人が死亡した。

二〇一七年になると、新たな疫病が流行する兆候が散見されるようになった。**この年、私は、パンデミック到来の恐れについて、複数の著書、論考、講演会などで力説した。**

二〇一八年、エディンバラ大学の公衆衛生学の教授デヴィ・スリダールは、ウェールズで毎年開催される文学祭ヘイ・フェスティバルにおいて、「イギリス国内の人々にとっての最大の『脅威』というものを挙げるなら、中国に滞在し、動物から感染した人などでしょう」と述べている。

第二章
未曾有のパンデミック

歴史を振り返ると、パンデミックは一定の展開を辿るようだ。

第一章で紹介したように、ほとんどのパンデミックは、アジア、とくに中国で始まる。続いて、ヨーロッパ、アメリカ、アフリカの諸国を揺るがし、ときに、文化、社会、政治、地政学に甚大な影響をもたらす。一般的に、貧困層より富裕層のほうがはるかに危機を切り抜けやすいのは明らかだ。だが、**権力者が効果的な対応を講じないと、パンデミックは国の指導者層に一撃を与える。政治体制がすでに脆弱だと、この一撃はしばしば致命傷になる。**

過去数千年間、ほとんどの文明や宗教では、人命（権力者の命は除く）にはそれほど大きな価値がなかった。人の短い命は、政治、イデオロギー、経済においてたいした価値をもたなかったのだ。疫病は不治の病だったので、金持ちは逃げ出すか自宅に閉じこもり、庶民はあの世での極楽を願うだけだった。

その後、疫病という敵に対して、治安当局の指導、保健衛生の向上、ワクチンや治療薬の開発など、具体的な対策が講じられるようになった。その際、経済活動を停止させるようなことはなかった。**病死する危険があっても、生きる糧を得るには働く必要があった**のだ。そして信仰心を失った者でさえ、死を特別なことだとは考えていなかったので、人々は自分が何歳であっても、訪れる死を甘受した。

容認できない死

特定の形の死が受け入れられないものと見なされるようになったのは、少なくとも先進国ではごく最近、一九八〇年代に入ってからのことだ。今日ではついに、われわれは命を守るためなら、経済活動が制限されることもやむなしと考えるようになった。

なぜだろうか。近年のデジタル経済の発展によってテレワークが可能になり、以前よりも身を守れるようになったからだと、短絡的な見方をしたがる者もいるが、それは副次的な理由に過ぎない。真の理由はまたしても、**人々と死の関係性**にある。先進国の一部では戦争の影が視界から消えた現在、人々にとって死とは、先進国がなお関与する少数の紛争での死、事故やテロ行為などによって引き起こされる死に他ならない。自然死は、もはや有名人の死を除き話題に上らない。路上での暴力や違法薬物の乱用などによる死も、めったに語られることはない。

今後、哀悼の意が表されるのは、特殊な状況で発生した死と、有名人や政治指導者の死だけだ。彼らの死は公的討論の議題になり、追悼の対象になる。

がん、心筋梗塞、糖尿病、アルツハイマー型認知症、インフルエンザ、飢餓などによる、はるかに多くの名もなき者たちの死は、今後も公に語られることがない（飢餓による死亡者の数は交通事故の七倍であり、交通事故による死亡者の数は季節性インフルエンザのおよそ二倍だ）。しかも、それらの死はますます人目につかなくなる。家族に囲まれて死ぬ者は減り、一般的に高齢で死ぬ。孤独死も珍しくない。こうした傾向は、子供の利己主義や貧困、あるいは、過剰な依存によって家庭での看取りができなくなったことに原因がある。

死の捉え方に関する教訓は次の通りだ。**予見可能でひっそりと死ぬことができる状況での死は容認される。一方、死が巷に溢れ、誰もがいつ何時死ぬかもしれないという状況で**

の死は耐え難い。

パンデミックでは、まさに後者の死が跋扈する。ひっそりと死ぬことができる機会は奪われ、誰もが予期せぬ死に怯えるのだ。

自らを欺く中国

予見と黙殺

中国で新たなパンデミックが発生したのはおそらく二〇一九年末であり、その時点では過去のパンデミックへの対応と同様、抑え込むための準備は整っていた。

だが現実には、人類の半数以上が自宅待機を余儀なくされるという、度重なる失策による史上初の事態に陥った。外出制限措置は本来不要であった。この措置をとらざるを得なくなったことにより、世界経済はおのずと半停止状態になり、経済と社会は過去三世紀で最悪の危機に見舞われた。そしてまもなく政治も窮地に追い込まれるだろう。

それは、この外出制限措置が回避可能だったからだ。外出制限措置は度重なる失策の結果に他ならない。ひょっとするとまた同様のパンデミックが起きるかもしれない。**一連の過ちを繰り返さないために、われわれは何が起こったのかを理解する必要がある。**

二〇〇三年のＳＡＲＳ（重症急性呼吸器症候群）発生以降、中国ならびに世界のおもな感染症の研究所は、新たなウイルスの登場は時間の問題だと考えていた。少なくとも二〇〇九年以降、書籍、映画、テレビドラマなどにおいて、中国でも、そして世界でも新型ウイルスの話題が盛んに語られていた。多くの研究所では、新たなウイルスを解析するための準備を整えていた。こうした準備の一部は軍事目的だった。ところが、不透明な独裁政権を牛耳る中国政府上層部は、大規模な感染症が再来する危険性を無視した。国民に警戒を促すには、その危険性について国民に語る必要があっただろう。それは、完全無比を建前とする国家が、外部の出来事によって脅かされる可能性があると認めることに等しかった。中国政府にとって、そのような行為は論外だった。

中国を巡る二つの災い

韓国を筆頭とする、過去のコロナウイルス流行の記憶が残るアジアの一部の民主国は、新型コロナウイルスへの対策を準備していた。これらの国では、パンデミックが再来したら、すぐにマスクを着用し、検査を実施し、感染者ならびに感染者と濃密な接触をもった者は隔離する必要があると承知していた。

これから紹介するが、これらのごく一部の国々は、医療崩壊や犠牲者の急増を、ある程度の期間、食い止めた。彼らの貿易国が中国型モデルを模倣して失策を重ねなければ、経済危機からも免れることができたはずだ。

したがって、**災いだったのは、新型コロナウイルスの流行が始まったのが独裁体制の中国だったことだ。**独裁政権は、まずは自分たち自身に、続いて他者に対しても事実を隠蔽したのである。

そして、**続いての災いは、世界全体がパニック状態に陥り、近隣の民主国ではなく、独裁国家である中国の対応策を模倣したことだ。**

秘密主義や面子を保とうという中国政府の意図は容易に理解できる。

第一の理由は、中国政府が過去の失策を覚えていないからだ。過去の指導者たちは、彼らの後継者を含め、国民全員に事実を隠蔽した。

第二の理由は、中国政府は国内外の批判に耳を傾けようとしないからだ。批判を謙虚に受け止めたのなら、中国政府は迅速に対応し、隣国の韓国が二〇一八年から準備してきたような効果的な戦略を実行するための時間的余裕をもてたはずだ。パンデミックが急拡大し、中国政府もこれを認めざるを得ない状態にまでなったときには、マスクも検出用キットも不足していたため、必要な対応をとれなかった。

新型コロナウイルス感染症急拡大の顛末が気の滅入るようなものであっても、何が起きたのかを理解することはきわめて重要だ。しかも、まだ語られていない、そして今後も語られることがないであろうことを明らかにしながら今回のパンデミックを総括する必要がある。

未曾有のパンデミック

発生源

新型コロナウイルスによる感染症状が最初に現れたのは二〇一九年一一月一七日のようだ。

発生源は中国湖北省の省都、武漢市（人口一一〇〇万人）の生鮮市場と推定されている。現在のところ、発生源が武漢市のウイルス研究所だったという可能性はかなり低いと思われる。不確かな情報として、さらにそれ以前の、二〇一九年一〇月一八日から二七日にかけて武漢市で行われた世界軍人運動会（ミリタリーワールドゲームズ）のときに最初の感染があったのではないかという説もある。仮にこれが事実なら、新型コロナウイルス感染症の拡散力は現在考えられているよりも弱いことになる。

中国当局の当初の反応は、独裁体制特有の惨憺たるものだった。彼らは一切のことを公にせず、誰にも、何の警告も発しなかった。ウイルスの特性も、感染源も明らかにせず、感染を予防するための対策も一切提示しなかった。そして、さらにひどいことに、注意喚起を促した医師たちを投獄した。

新型コロナウイルス感染症に対して有効な〔既存の〕治療薬は存在せず、患者の苦痛を軽減しようと試みること、重症の場合には酸素を供給するなどして患者の免疫の働きを助けることくらいしかできないとすぐに判明した。とくに重篤の場合は、患者を人工的な昏睡状態に置くこと〔酸素やエネルギーの消耗を抑えるための措置〕が精一杯だった。

武漢市で発生した事態の報告を中国政府高官がどの時点で受けたのかはまだわからないが、彼らのなかに、マスクの着用、ウイルス保有者の隔離、全住民に対する検査の実施を即座に課す必要があると判断した者が誰もいなかったことはわかる。少なくとも、発生源の武漢市ではこうした措置をとるべきだった。というのは、一二月の段階では武漢市への道路、鉄道、飛行機による往来は、まだ制限されていなかったからだ。

中国当局から後に公表された情報によると、一二月の感染者数は少なくとも一〇四人で、そのうちの一五人が死亡したという。実際の数はこれをはるかに上回ると思われる。中国当局が発表する統計は明らかに怪しい。

情報統制

武漢市の住民が新型コロナウイルス感染症の流行を話題にし始めると、中国共産党はあらゆる手段を講じて住民を黙らせようとした。一二月末、中国共産党の検閲官は、ウィーチャット（微信）などのインスタントメッセンジャー上で「武漢生鮮市場」や「ＳＡＲＳ」など、数百種類の語句が含まれるメッセージをブロックした。

同時期、それでも武漢市における新型コロナウイルス感染症の拡大に関する情報は漏洩し、韓国の研究所ならびにドイツのTIB MOLBIOL社などは、**新型コロナウイルスに関する詳しい情報を待つ間、すでに知られているＳＡＲＳなどの既存のコロナウイルスを対象**

とする検出用キットの生産準備を進めた。

二〇一九年一二月一七日、韓国では感染の報告はまだ一件もなかったが、二〇一八年四月に韓国疾病管理本部（ＫＣＤＣ）内に設置された作業部会は、韓国人家族が中国で新型疾患に感染して帰国した場合を想定し、対処法を検討した。**診断法、感染リスクに基づき、隔離を行う対象者の範囲、感染者の行動を追跡する方法**などが話し合われた。

一二月三〇日、武漢市中心病院で救急科主任を務める医師の艾芬（アイ・フェン）は、この新たな感染症がＳＡＲＳ（二〇〇三年に中国で発生したコロナウイルス感染症）と似ていることに懸念を抱いた。彼女は同僚の一人と診断報告書を作成し、それをウィーチャット上で李文亮（リー・ウェンリャン）を含む医師のグループと共有して、病院組織内に警戒を促した。中国当局はすぐに反応した。二〇二〇年一月一日、病院の監督当局は、艾芬の「噂を流す」行為を禁じたため、数百名の医師や看護師は、感染症だとは知らずに患者と接触する羽目になった。李文亮を含む八人の医師が事情聴取された。警察は彼ら八人に対して「自分は社会秩序を乱した」と認める始末書に署名するように強いた。

一月九日、中国メディアはようやく「新たな病気」について報道したが、その重大さには言及しなかった。武漢市の生鮮市場は閉鎖された。しかしながら一月、春節（旧正月）を祝う休暇の間に人々は移動を続け、七〇〇万人が海外に出かけた。

一月一一日、中国で読み取られた新型コロナウイルスのゲノムの塩基配列は、すぐに世界の科学界で共有された。TIB MOLBIOL 社はそれを受けて、自社で用意していた複数の検出用キットのなかで、このウイルスに特有の塩基配列を検出するのに最も適したものがどれかを発表した。同社が発表した検査の実施手順をＷＨＯはすぐ〔一月一七日〕にオンラインで配布した〔遺伝子検査を行う場合には、検査に用いる試薬や機器、検査の実施手順などを対象に合わせて最適化し、統一することが重要〕。

一月一二日、韓国では一人も感染者が確認されていなかったが、マスク、そしてウイルスの塩基配列を基にした検出用キットの大量生産に踏み切った。

中国発：アジア各地とアメリカへ

一月一三日、中国の領土以外で最初の感染者が確認された。発症したのは武漢市から観光でタイを訪れていた人物だった。一月一四日、中国の国家衛生健康委員会の委員長は、国家の最上層部に警告を発した。「この疫病は二〇〇三年のＳＡＲＳ以来、最も深刻な脅威だ」。だが、この警告に対しても、中国政府はまったく反応しなかった。

一月一八日、武漢市当局は、四万人が参加する春節前の大宴会を主催した。翌日の現地の新聞には、そのときに撮影された写真が掲載され、発熱、咳、病を乗り越えてこの大宴会に駆けつけた参加者たちに賛辞が送られた。中国の国家衛生健康委員会は一月二〇日、国営テレビにおいて、この病気はヒトからヒトへとうつる感染症だと述べた。同日、国家主席の習近平は、新型感染症を深刻に受け止める必要があることを正式に認めた。

一月二〇日、韓国で初の感染者が確認された〔武漢から韓国の仁川国際空港に到着した際、発熱が確認されたことから指定の検査病院に移送された〕。韓国疾病管理本部（ＫＣＤＣ）は、他にも発症が確認された場合に備えて診断ガイドラインを策定した。

一月二一日、今度はアメリカのシアトルで、同国で初めての感染者の発生が発表された。感染者は武漢滞在後にシアトルに戻ってきた、アメリカの市民権保持者だった〔この人物は、武漢滞在後に咳などの症状が出たことから新型コロナウイルス感染症を疑い、マスクを着用して自ら診療所を訪れたという〕。

中国で疫病が発生してからおよそ二ヵ月が経過した一月二三日、中国当局は、毎日の新規感染者数が一〇〇〇人を突破したと発表した。だが実際には、一日に少なくとも二五〇〇人が感染していた。中国当局は対応が遅れて手の施しようがなくなったことを悟った。

どうすればいいのか。

中国には、マスクと検出用キットが不足していた。強権的な外出制限措置を断行する以外にもはや方法は残されていなかった。中国政府はパニックに陥った。武漢市は封鎖された。ホテル、スタジアム、会議場が感染者の受け入れ施設として徴用された。武漢市の郊外では、二軒の救急病院の建設が始まった。たったの一〇日間で二つの病院が建設できたことに各地の人々は賞賛の声を上げた。だが、一二月上旬という適切な時期に対応を判断できず、マスクの配布流通、検査、感染者ならびにその接触者の隔離という対応をおろそかにした中国当局がパニックになって必死に取り組んだ結果でしかないという事実からは皆、目を背けていた。

ヨーロッパ、中東、アフリカへ

一月二四日、フランスで初の感染者が確認された。感染者の三人は武漢市から来た人物だった。

この時点で、フランス政府はこの感染症を軽視すべきではなかった。韓国、台湾、香港、シンガポールの政府の対応を参考にして、韓国とドイツが行ったように、マスクと検出用キットの生産に踏み切るべきだったのだ。だが、他の多くの国と同様、フランス政府は無為無策だった。

一月二八日、中東（ドバイ）とドイツで初の感染者が確認された。感染者はいずれも中国から来ていた。同日、イタリアでも初の感染者が確認された。感染者はミラノ空港に到着した中国人旅行者のカップルだった。一月三〇日、インドで初の感染者が確認された。感染者は武漢市から戻ってきた学生だった。同日、WHOはついに「世界的感染拡大の顕著なリスク」に言及した。一月三一日、イギリスで二人の感染者が確認された。同日、フランス・オワーズ県のクレイユ〔パリ地方北部〕に駐留するフランス空軍が、武漢市の在留フランス人をイストル〔フランス南部〕の基地に搬送した。このとき、世界の累計感染者数は九八二六人だったが、実際の数はもっと多かったはずだ。

武漢での新型コロナウイルス感染症による死亡者の年齢の中央値は七〇歳前後だとわかった。肥満、高血圧、慢性呼吸器疾患、糖尿病は、重症化のリスク因子とみられた。

二月七日、武漢市からの最初の内部告発者の一人である医師、李文亮が死亡したことは、当局の検閲にもかかわらず中国全土に知れ渡った。

二月一四日、アフリカ大陸初の感染者がエジプトで確認された。

二月一五日、アジア地域以外で初の死亡者がフランスで確認された。死亡したのは八〇歳の中国人旅行者だった。

フランス政府をはじめとするヨーロッパ諸国の政府は、相変わらず無為無策だった。一部の政府は、すべては管理できており問題ないと言い放った。フランスの一部の医師らは、季節性のインフルエンザに過ぎないので大騒ぎする必要はないとばかげた持論を説き、政府の失策に寄与した。

二月一七日から二四日にかけて、フランスのミュルーズ〔スイス国境付近の都市〕で行われたキリスト教福音派の集会において集団感染が発生した。この集会には、おもにアルザス地方から来た二五〇〇人の信者が参加していた。

世界各地で感染爆発

ヨーロッパでは、中国以外で起きていることに関心をもつ者はいなかった。

二月一九日、サッカーのＵＥＦＡチャンピオンズリーグの決勝トーナメントがイタリアのミラノで行われた。アタランタＢＣ〔本拠地はイタリアのベルガモ〕対バレンシアＣＦ〔本拠地はスペインのバレンシア〕のこの試合は、集団感染を引き起こしたと思われる。事実、イタリア北部ではその直後に感染爆発が起きている。

二月二六日、オワーズ県で新型コロナウイルス感染症による初のフランス人犠牲者が出た。二月二七日、ナイジェリアで初の感染者が確認された。発症したのはミラノから戻ったイタリア人だった。

中国政府が自国ならびに世界に対し、パンデミックに関する事実を隠したことは明白だった。**事実が共有されていれば、パンデミックの拡大を未然に食い止められたかもしれない。**ところが一月二八日、ＷＨＯは中国を「この人類共通の脅威と戦うために」、「徹底的な取り組みを実施した」と称賛した。実際にはそのとき、中国政府はこれまでになく厳しい情報統制を敷いていたのである。ウィーチャットやＹＹ〔音声・動画チャットサービス〕に対する中国当局の検閲リストには、新たに五一六個の語句が加えられた。

二月二九日に確認された世界の累計感染者数は八万五四〇三人、死亡者数はおよそ三〇〇〇人だった。実際の数ははるかに多かったはずだ。死亡者の九九％は五〇歳を超えており、四〇％以上が八〇歳を超えていた。

イタリアでは、パンデミックは制御不能になった。病院は感染者で溢れ、治療に必要な人工呼吸器が不足した。治療する患者の優先順位をはっきりと決めなければならなかった。というより、これはほんの少しだけ長く呼吸を続かせる手段をどの患者に与えるかという選択に過ぎなかった……。この難局において、イタリアの医師たちは驚異的な働きをした。三月九日、イタリア政府は国全体を隔離した〔イタリア全土での移動制限、生活必需品以外の商店の全閉鎖〕。

世界規模の感染症に

三月一一日、WHOは、新型コロナウイルス感染症（COVID-19）の流行は「パンデミック」になったと宣言した。これは最初の感染者が確認されてから三ヵ月以上後のことだった。

このパンデミック拡大の進行は、ヨーロッパ諸国によって異なった。累計感染者数が五〇〇人に達したのは、イタリアが二月二七日、フランスとドイツが三月五日、スペインが三月七日、イギリスが三月一一日だった。三月八日には、これら五ヵ国での合計が一万人の大台に達した。新たな流行地となったアメリカにおいて累計感染者数が一万人に達したのは三月一八日だった。真実を意図的に隠し続けた国々もあった。三月二六日、プーチン大統領は、「ロシアには疫病は存在しない」と明言した。

三月三一日、世界の累計感染者数は七七万七〇〇〇人と発表された。四月初めの時点でのＷＨＯの推定によると、ヨーロッパにおける死亡者の九五％は六〇歳以上だったという。

パンデミックは拡大し続けた。四月二一日の時点で、世界の累計感染者数は二五〇万人だった。そのおもな内訳は、七八万七〇〇〇人がアメリカ、六八万八〇〇〇人が、イタリア、スペイン、フランス、そしてドイツを足し合わせた数だ。韓国、台湾、シンガポール、香港などではほとんど死亡者が出なかった。パンデミックを収束させたと主張する中国政府の発表を信じるなら、累計の感染者数は八万三〇〇〇人、死亡者は四六三七人だ。感染者のおよそ八四％が、武漢市のある湖北省に集中しているとされている。湖北省以外での死亡者数はわずか一二五人だったという。実際の数が中国政府の発表よりもはるかに大きいことは間違いない。

四月末の時点で確認された累計感染者数は、人口六億五〇〇〇万人の中南米諸国でおよそ五万人、人口一三億人のアフリカ諸国で一万人だった。ブルキナファソでは四月一六日から三〇日にかけて九九人の新規感染者が確認された。これらの地域での数値も検証不能だ。ロシアの累計感染者数は急増し、新規感染者数が一時、一万人を突破した。そしてアメリカの感染拡大はこのロシアの増加率を上回った。

隠れた犠牲者たち

二〇二〇年六月二三日、世界の公式の累計感染者数は九三〇万人、死亡者数は四七万八〇〇〇人だった。死亡者数のおもな内訳は、アメリカが一二万一二二五人、イタリアが三万四六七五人、フランスが二万九七二三人、スペインが二万八三二五人、インドが一万四四七六人、ドイツが八九二四人、中国が四六四〇人、南アフリカ共和国が二一〇二人、イスラエルが三〇八人、韓国が二八一人、台湾が七人だ。このときも各国に共通していたのは、五〇歳未満の死亡者が非常に少なかったことだ。

その後も、パンデミックは世界各地で猛威を振るう。七月一五日の時点では、累計の感染者数は一三六〇万人、死亡者は五八万五〇〇〇人に達した。死亡者の内訳は、アメリカが一四万一四四人、ブラジルが七万五三六六人、メキシコが三万六九〇六人、イギリスが四万五一三八人、イタリアが三万四九九七人、フランスが三万一二三人、スペインが二万八四一三人、ロシアが一万一九二〇人、ドイツが九〇八五人、中国が四六四四人、南アフリカ共和国が四四五三人、イスラエルが三八〇人、韓国が二九一人、台湾は変わらず七人だ（日本での死亡者はこの時点で九八五人）。これらの数値はきわめて不確かだ。調査手段の不足や情報統制のため、多くの国が大幅に過少申告したことは疑いようがない。たとえば、ヴェネズエラのデータはまったくわからない。また、このパンデミックが難民の間でどれほど広がったのかもわからない。世界各地にある国連などの難民キャンプには七〇〇〇万人が暮らしていると発表されているが、実際の難民の人口はもっと多い。

さらに、新型コロナウイルス蔓延のパニックにより、他の病気の死亡率が上昇したことも無視できない。そして病気以外にも、薬物乱用、失業、失望などに起因する死亡率も高まった。

起こるべくして起こった流行

今回のパンデミックは起こるべくして起こった。先ほど見てきたように、その感染者の割合は過去のパンデミックを何倍にも上回る勢いで増えている。過去二〇年間の事例を振り返れば、今回の大型パンデミックの発生は充分に予見でき、それに備えることができたはずだ。

さらに、人々の行動パターンがパンデミックの発生率を高め、そしてとくに、発生した際の影響を大きくしていた。つまり、**人々はパンデミックを封じ込め不能なものにし、制御不能にさせるような行動パターンをとるようになっていた**のだ。

感染爆発を許した背景

第一に、世界各地では医療制度が長い時間をかけて脆弱化されてきた。その原因は、**医療制度を国の財産ではなく負荷だと見なすイデオロギー**にあった。医師、病院、医療機器、医療物資、医学研究は、必要な水準よりも不足していた。

第二に、世界はこれまで以上に開放的になり、**相互依存が進んでいた**。出張、会合、旅行は増加の一途を辿り、金融のグローバル化は最高潮に達していた。デジタル技術はさまざまな規制にもかかわらず不可逆的にグローバル化していた。その結果、ヒトとサービスの関係もグローバル化された。それを妨げるものはほとんど何もなかった。

第三に、**自己満足し、自らを過信した人類は、「悲劇は起こり得る」という感覚を失っていた**。世界でもとくに大きな力をもつ国々において、厄災が降りかかる可能性があると本気で考えた者はほとんどいなかった。そして実際に悲劇が訪れると、誰もそれを直視しようとしなかった。

第四に、**すでに二〇年以上にわたり、利己主義、偏狭な視点、他人の考えを受け入れない態度が幅を利かすようになっていた。世界は、軽薄、利己主義、不誠実、不安定で溢れ返っていた。**過剰な富、そして深刻化する貧困。投機行為は度し難かった。気候変動による被害はますます深刻になった。資源の無駄遣いが横行していた。もはや無意味となった取引や活動が漫然と続けられ、地球温暖化などの対策に必要な環境基準の採択は拒まれていた。本質を追求しようという意欲は失われ、将来世代の利益は顧みられていなかった。肥大して官僚化した政治体制は、自らが挑むべき抜本的改革の大きさを理解していなかった。あるいは、認めようとしなかった。社会は、時代遅れの娯楽や儀式を断念することができなかった。

第五に、おそらく最も重要であり、これまで列挙したすべてを物語る点として、**世界から見捨てられた層の存在**が挙げられる。世界人口の四五％以上は満足のいく衛生設備を利用できない。たとえば、四〇％以上の人々の住居には手を洗う設備がない。二〇億人以上の人々は水洗式トイレを利用できない。二〇一七年に環境思想家のＳ・クマールが行った調査によると、石鹸を利用できる家庭は、セネガルで二〇・八％、チャドで五五％、トーゴで六五・四％だったという。世界人口の少なくとも一〇％は、汚水灌漑によってつくられた食糧を口にしている。世界人口の半分以上の食糧は、今回のパンデミックの発生源と思われる武漢市の生鮮市場のように、衛生状態の疑わしい市場で販売されている。

ようするに、**すべてが非持続的であり、もはや許容しがたい状態にあると誰もが無意識のうちに感じていたところに、今回のパンデミックが発生したのだ。**これまでの状況はどれも不合理なことばかりだった。抜本的な変革が必要だった。行動することが必要だと、われわれは薄々気づいていた。だが、そうした改革に踏み切るにはショックが必要だとも感じていた……。

うまく立ち回った国々

今回の異様な規模のパンデミックは予見できたはずだが、備えはなされていなかった。その訪れに直面した際、世界中の国々はまったく無防備であったため、すぐには何が起きたのかを把握できなかった。本来は、即座にその存在と実態を認識していなければならなかった。当初から、現在だけでなくしばらくの間にわたり、効果的な治療法は存在しないであろうことが周知されていた。

過去の過ちから学んだ韓国

状況をいち早く理解したのは、過去にこうしたパンデミック〔MERSコロナウイルスなど〕と戦ったことのある民主国、韓国だった。今回の新型コロナウイルス感染症流行以前の二〇一八年一二月、韓国は〔同様の感染症が流行した場合にとるべき対策として〕三つの決断を下していた。すなわち、マスクの生産と配布、検出用キットの生産と検査の実施、陽性と判明した者ならびに彼らと密接な接触をもった者たち全員の隔離である。これら三つは、のちに英断だったことが判明する。**マスク、検査、追跡。これがすべてだった。**

韓国はあらゆる面で卓越していた。韓国は、〔二〇一五年のMERSコロナウイルス感染症を受けて〕二年前からこの種のパンデミック到来への対策を講じてきた。そのため、新型コロナウイルスのゲノムの塩基配列（一月一二日に中国で公開された）を利用してすぐに検出用キットを開発することができた。

予防医学の医師が指揮する韓国疾病管理本部（ＫＣＤＣ）は、広範にわたる公衆衛生対策を取りまとめた。必要な情報を収集するために、ＫＣＤＣには警察や司法などに関するものも含めた法的権限が付与された。**情報収集は感染者の名前を特定せず、匿名で行う**ことが定められていた。ＫＣＤＣは毎日二回の定例会見を行った。

すべての感染者ならびに彼らと過去二週間以内に接触をもったすべての人物を隔離および追跡する決定が下された。二週間の隔離期間中、ＧＰＳの位置情報は用いず、毎日二回の電話による確認を行った。

経済活動の停止を回避

韓国は、国民全員の隔離や、経済活動の停止を回避した。閉鎖された公共機関は学校だけだった。**学校の授業はインターネットやテレビを通じて行われた。インターネットを利用できない家庭の子供に対して数万台のタブレットが支給された。**

二月一日、誰もがマスクを着用するようになった。二月四日、検査が始まった。三月九日、マスクの品不足が予見されると、韓国政府はマスクを国民に配給した。国民は**最寄りの薬局で週に二枚のマスクを受給できるようになった**のだ。マスク着用が「強く推奨」された。マスクを着用しないのは公序良俗に反する行為と見なされた。

パンデミックの再燃は厳しく監視された。たとえば、韓国政府が学校再開を準備していた五月一〇日、一人の若者がナイトクラブを徘徊して五四人を感染させた際には、徹底的な追跡調査が行われた。韓国のパンデミック対策は大きな効果をもたらした。人口五二〇〇万人の韓国では、七月一五日の時点での累計の感染者数は一万三六一二人、死亡者は二九一人だった。

これから見ていくように、中国は韓国と正反対の対応をとった。四月末、ＫＣＤＣの責任者の一人であるイ・ソンギュは、「私たちが実行可能な最良の対策を打ち出すことができたのは、中国の事例を参考にしたからです。中国とは異なりますが、わが国の状況に適した、効果的な対策を講じることが重要だと考えました。中国の『すばらしい対応』を垣間見ることにより、どうすれば新型コロナウイルス感染症を予見でき、抑え込めるかを事前に学ぶことができたのだと思います」と皮肉を交えて述べている。

少人数での徹底対策：台湾、ニュージーランド、アイスランド

パンデミック対策に成功しているのは韓国だけではない。

台湾では一月二四日以降、N95マスクの生産と流通の管理は政府が行った。多くの都市では、公共の交通機関および建物において**マスク着用が義務付けられた**。安全のために距離を空ける**ソーシャルディスタンスの遵守が徹底された**（屋外では一メートル、屋内では一・五メートル）。四月七日、すべての商業施設および飲食品宅配業で、全員がマスクを着用するようになった。韓国と同様、検査と感染経路の追跡が実行され、都市封鎖や経済停止は回避された。七月一五日時点での累計の感染者数はわずか四五一人、死亡者は七人と発表されている。

ニュージーランドでは、二月二八日に早期対策の意向を表明した首相の指揮により、新型コロナウイルスに特化した臨時検査室が数十ヵ所に設立され、大規模なスクリーニング（無症状者を含めた人々を対象に実施し、感染の可能性のある人を検出する検査）が実施された。首相は対策を「厳しく、そして、早期に」行うべきだとの方針を発表している。三月一四日以降、**ニュージーランドへの入国者は全員、自主隔離を義務付けられた**。三月一九日、ニュージーランド非居住者の外国人に対し、国境が閉鎖された。七月一五日時点での累計の感染者数は一五四八人、死亡者は二二人だった。

アイスランドの対策も興味深い。ほとんどの取り組み（例：感染経路の追跡、二メートルのソーシャルディスタンス）は国民の自主的な協力に委ねられている。アイスランドでは人口が少ないため（三六万人）、大規模スクリーニングをすぐに実施できた。四月中旬までに国民の一〇％以上が検査を受けた（六月中旬には、およそ一八％に達した）。アイスランドに本社を置く集団遺伝学研究の世界的企業、deCODE Genetics社は、無症状者に対しても検査を無料で提供した。厳格な隔離措置は実行されなかった。国境を閉じることはなく、商業施設やレストランの営業も続いた。七月一五日時点での累計の感染者数は一九一一人、死亡者は一〇人だった。

強権発動：ベトナム、イスラエル

ベトナムは民主国ではないが、この国では大気汚染から身を守るために**マスクを着用する習慣**が昔からあった。政府は、感染者ならびに感染者と密接な接触をもった者を即座に特定し、彼らを隔離した。一部の商店では従業員と客に対して体温測定を実施した。公共の建物の入口には、**ソーシャルディスタンスを保つための目印**が床に貼られた。七月一五日時点での累計の感染者数は三八一人、死亡者はゼロだった。

イスラエル政府も初の感染者（日本の横浜港で隔離されていたクルーズ船の乗客が、イスラエル帰国後の検査で陽性反応を示した）が確認された二月二一日よりも前に行動を開始していた。一月三〇日、中国からの航空機の到着が禁じられた。二月一七日、新型コロナウイルスの感染者が多いアジア諸国からの乗客は入国拒否された。三月一〇日、外国から到着する者全員に自主隔離が課された。三月中旬、イスラエル政府は、携帯電話の位置情報追跡など、テロ対策に用いられるデジタル技術を新型コロナウイルス感染症対策にも活用すると宣言した。スーパーマーケットでは抜き打ち検査が実施された。警察と軍隊が大規模に動員された。公安当局（シャバック）は新型コロナウイルスの感染拡大を防ぐために携帯電話を傍受していたが、四月二六日、最高裁判所はこれをやめるように命じた。六月二三日時点での累計の感染者数は二万一五二一人、死亡者は三〇八人だった。

初動には成功したが、六月末に第二波に襲われた。およそ一ヵ月経った七月一三日、新規感染者数は五〇〇％増加した。七月一五日の時点では、累計の感染者数は四万四七一四人、死亡者数は三八〇人だった。

さらに、シンガポールと香港というアジアの二つの都市国家（権威主義的な民主主義）の例も興味深いが割愛する。そしてブータンはいつものように独特な対策によって大きな効果を上げた。

うまく立ち回った国々に唯一不満な点を挙げるとすれば、これらの国が中国でなく自分たちの対策に倣うよう、世界に対して声を上げなかったことだ。

中国は世界に嘘をつく前に、自国民にまで嘘をついていた。

方針を誤った国々：中国スキャンダル

一月末まで対応を拒む姿勢を貫き、国の指導者たち（全員が高齢者）がこの話題に関する討論さえ拒否した中国では、一月第三週の時点で韓国型の戦略を実施するのはもはや無理だという結論に至っていた。中国全土においてマスクと検出用キットを配布し、感染経路を追跡することは不可能だと判断したのだ。

（名実を問わず）全員に等しく生存の可能性を与えられない状況下で感染爆発を防ぎ、（とくに指導者層の世代の）人々の感染死を避けるためには、新規感染者の急増を抑制する以外に方法は残されていなかった。たとえ施せる治療が苦しみを緩和するだけの形式的なものに過ぎないとしても、病院が感染者でパンク状態になったら完全にお手上げだ。

したがって、国民全員が（たとえ効果が薄くても）医療サービスを平等に受けられる権利をもつという虚構を維持するには、感染者数が国内の集中治療室の病床数を超えないよう抑制しなければならなかった。

指導者層が国民の命に新たな価値を付与することはない。できるのは、死を巡る光景に価値を付与することだけだ。そのため、手段は一つしか残されていなかった。封じ込めだ。

都市封鎖

二〇二〇年一月二三日、韓国や台湾などの国々が経済活動を機能させながらはるかに効果的な対策を講じるさなか、初動が著しく遅れたために感染爆発に襲われた共産党政権下の中国は、国民全員にマスクを配ることも検査を実施することもできないとわかってパニックに陥った。そこで政府は湖北省の武漢市（人口一一〇〇万人）や黄岡市（七五〇万人）などの都市へのアクセスを遮断し、これらの都市にある工場を閉鎖し、住民に自宅待機を課した。当局はごく一部の労働者に対して外出して働くことを認めたが、体温測定、手洗い、マスク着用、外出許可証の携帯による移動の管理を義務付けた。それでも集中治療室の病床の不足が懸念されたため、臨時病院が突貫工事で建てられた。

一月二九日、この自宅待機は湖北省全域、さらには他の地域にまで拡大された。移動を制限するため、都市封鎖を含めた一連の措置が講じられた。これが功を奏し、二月から四月にかけて、二〇の省では新規感染者が一人も確認されなかったという。湖北省以外での移動規制は解除された。

四月中旬、感染者数が再度増加した際、中国政府はスポーツ施設の閉鎖などの制限を再び課した。その後、中国政府は、新たな感染地域になった黒竜江省（中国の北東部）や広東省（南部）などを封鎖した。中国政府の発表する新規感染者数は、四月二二日以降は三〇人以下であり、五月初頭からは一〇人未満にまで減った。

七月一五日の時点では、中国の累計感染者数は八万五三一四人（そのうち、死亡者は四六四四人）ほどとなり、新型コロナウイルス感染症の被害に関して、中国は世界第二三位の国に過ぎなくなった。とはいえ、中国政府が提示する数字は大幅に過少申告されているだろう。

中国政府は成果を収めたと自画自賛しているが、実際は失策、過ち、嘘の連続だった。

もちろん、統計も嘘で塗り固められている。

ヨーロッパの大きな過ち：韓国でなく中国を真似る

悲劇だったのは、その後、すべてとは言わないにせよ、**ほとんどの国が韓国型民主モデルでなく中国型独裁モデルを模倣したことだ。**

一月、ヨーロッパの一部の人々は新型感染症が広がる現状を理解し始めた。この時点で、ヨーロッパにおいても韓国型の対策はまだ適用可能だった。一月末の時点では中国でもそうだった。だが、導入されなかった。こうして、パンデミックが猛威を振るい始める。ヨーロッパ各国で当局が真剣に心配し始めたのは、新規感染者が急増して呼吸器系の急患病床数が不足するという見通しが囁かれるようになった三月初めだ。ヨーロッパはパニックに陥った。どうしたらよいのか。

このとき、インペリアル・カレッジ・ロンドンの疫学者たちは、マスク着用と検査の実施がなければ、二〇二〇年の世界の累計感染者数は七〇億人前後、死亡者は四〇〇〇万人前後になり、きわめて厳格な隔離を実施すれば、三八七〇万人の死を避けることができ、死亡者は一三〇万人にまで抑えられるだろうと述べた。彼らは韓国型の対策には言及しなかった。

四月二二日、フランス公衆衛生高等研究院（ＥＨＥＳＰ）は、マスクを着用せず、検査を実施せず、外出制限措置を行わなければ、フランスでは六七万人が入院し、そのうち重症化する一五万五〇〇〇人のため、集中治療室に一〇万床を確保する必要があるという研究結果を発表した。ところが、フランスの集中治療室の病床数は四〇〇〇しかなかった。この見通しが発表されたとき、フランスが韓国型対策を実行するには、時すでに遅しだった。

早期に、主体的に対策を講じることの重要性

ヨーロッパがとるべきだった対応は、二月末、あるいはせめて三月初めまでに、韓国と同様に**マスクと検出用キットを大量生産し、感染経路の追跡手段を整備すること**だった。織物、自動車、工作機械、服飾、高級ブランド、航空輸送など、ヨーロッパ中の産業を総動員すべきだったのだ。そのためには、互いの善意を当てにするのではなく、**臨戦態勢を整える**必要があった。そして、マスクを確保するには、アジアの生産者に売ってくれと無理を承知で懇願するのでなく、ヨーロッパにおいて生産すべきだった。ウイルスの伝播はおもに閉じた空間で起こることが確認されたのだから、全員に検査を実施し、陽性の結果が

出た者を隔離すべきだった。

これらの対策を怠ったため、三月中旬には感染爆発が生じた。病院がパンクする危険が迫ってきたことが明白になりつつあった。ヨーロッパはパニックに陥った。感染者数の増加曲線の傾きを緩やかにし、パンデミックの拡大を遅らせる以外に選択肢はなくなった。そのためには、できるだけ多くの人々に自宅待機を強いるしかない。そうなれば経済活動は停止せざるを得ない。

これは情けない選択であり、悲劇的な過ちの産物だった。後ほど語るが、**マスクと検出用キットを緊急生産するコストは、外出制限措置による景気後退がもたらすコストの一万分の一に過ぎなかった。**

こうした失態を犯したヨーロッパ諸国の政府は、それがたとえ各国横並びの過ちだったにせよ、この失態をきちんと説明すべきだっただろう。これについては後ほど詳述する。

過ちに気づいた後も……

さらにひどいのは、一部の政治指導者が、産業界に対してマスクと検出用キットの生産に着手するように指導できず、**官僚や産業界のロビイストの抵抗に屈し、自分たちの過ち**

を認める勇気をもたなかったことだ。彼らは、マスク着用には効果がなく、検出用キットは役に立たないと主張するなど、嘘を語ることを選択した。誰でも過ちを犯すが、嘘は許されない。

中国型モデルが嘘と失策で塗りつぶされていたことを直視せず、その形式を採用した彼らは、早い段階でマスク着用を徹底するだけでよかったヨーロッパにおいて外出禁止を命じた。彼らは、必要なマスクの在庫は充分にあったと主張したが、それはマスクの使用を制限していたからではないか。検査を実施して安全性を確保するだけでよかったのに、子供たちを学校から追い出し、労働者から仕事を奪った。また、老人介護施設、あるいは、郊外や人里離れた村の自宅で暮らす多くの高齢者の存在を考慮せず、彼らを見捨てた。僻地の感染者を診断したり治療したりする手段はなく、高齢者たちは、マスクを着用することなく、検査を受けることなく、人工呼吸器を利用することもなく、人知れず息を引き取るだけだった。

ついに中国型ロックダウンへ

こうして、三月上旬ならまだ導入できた可能性のある韓国型を検討せずに中国型を真似たヨーロッパ諸国には、厳格な外出制限措置を実施する以外の選択肢はもはや残っていなかった。ロックダウンが実施されたのは、イタリアが三月一〇日、スペインが三月一四日、フランスが三月一七日、ベルギーが三月一八日だった。アメリカも同様の理由から同じ道を歩んだ。カリフォルニア州では三月一九日、ニューヨーク州では三月二二日〔発表は二〇日〕から、〔州全域での〕自宅待機令が発効となった。

三月二〇日、公衆衛生上の非常事態宣言を発効させたモロッコ政府（同時期、マスクと検出用キットを大量生産するための予算を計上した）は、治安当局と密接に連携して、国境を封鎖し、厳格な外出制限を行った。モロッコ政府の報告によると、七月一五日時点では、約九〇万件の検査に対する累計の感染者数はわずか一万六四二四人、死亡者は二六〇人だったという。

遅きに失した政策転換

自分たちが大失態を犯したことに徐々に気づき始めた国々の政府は、その現実を認識することに尻込みしつつ、四月末になってようやく韓国型モデルに切り替え始めた。だが、数々の証拠を目の当たりにしながらも、これまでは韓国型モデルが効果的でなかったのだと主張し続けた。政府がこれほど世論を欺いたことは滅多になかったはずだ。

七月一五日時点の死亡者数は、フランスが三万一二三人、イタリアが三万四九九七人、ドイツが九〇八五人、イギリスが四万五一三八人だった。

四月中旬、一週間あたりの検査の実施件数は、イギリスがわずか一二万件、イタリアとスペインが約三〇万件、ドイツが三五万件だった。フランスでは、四月六日から一二日にかけて一六万件、同月最終週には二八万件の検査が実施された。フランスは五月一一日までに週七〇万件の達成を目標に掲げていたが、実現できなかった。

世界人口の半数が自宅待機

外出制限措置は世界中に広がった。マスクと検査が相変わらず不足したため、数億人、数十億人と、多くの人々が就労できなくなり、収入を失った。自宅待機の対象となったのは、三月一八日には五億人、三月二一日には一〇億人、インド政府が外出制限を宣言した直後の三月二四日には世界人口のおよそ三分の一に相当する二六億人、四月二日には世界人口の半分以上に相当する三九億人になった。四月七日、一〇〇近くの国ないし地域で暮らす四〇億六〇〇〇万人以上が自宅待機を強制あるいは強く推奨された。五月上旬、パンデミックは収束傾向を示し始めたが、それでも三〇億人以上が自宅待機した。五月一九日、自宅待機者は二〇億人にまで減った。

いずれにせよ、紹介したのは公式に申告された数字だ。外出制限に関するほとんどの決定は国会での討論を経ずに採択されたこともあり、国によって適用が異なる。とくに、閉鎖することが難しい貧困国、貧困地区の場合、実情はよくわからない。

多くの国では、外出制限を徐々に解除したが、感染が再び拡大したため、今度は地域単位での外出制限に切り替えた。七月一六日の時点では、世界中でおよそ三億五〇〇〇万人が再び自宅待機を強いられている。

たとえば、インドのビハール州の一億二〇〇〇万人、アメリカのカリフォルニア州の三九五〇万人、アルゼンチンのブエノスアイレス州の一四〇〇万人、アゼルバイジャンの一〇〇〇万人、アイルランドの五〇〇万人、メルボルンの五〇〇万人、マダガスカルの首都アンタナナリボの一六〇万人、リスボンの七〇万人が外出を制限された。

ありふれた出来事になる死

一部の国は、この病原体に対する抗体を獲得した国民が一定割合に達するまでウイルスを意図的に拡散させる政策〔集団免疫戦略〕をあえてとった。スウェーデンとブラジルは明白にこの方針を選択した。アメリカの動きも〔先述のように自宅待機令を出した州もあるが、全体としては〕この考えに近い。一部のアフリカ諸国などは、仕方なくこの策を採用した。これらの国は、高齢者の命よりも若者の仕事をあからさまに優先したのだ。

独自策をとったスウェーデンでの感染拡大

人口密度が低いために感染拡大リスクも低いはずだと考えられたスウェーデンでは、五〇人以上の集会、老人介護施設への訪問、カフェやレストランでの立ち飲み営業などが禁止されただけだった。大学と高校は閉鎖されたが、大規模な検査は実施されなかった。マスク着用は義務ではなく、保育園と小学校の運営は通常通りだった。その他の規制については、政府の推奨に過ぎなかった。

スウェーデンの公衆衛生当局によると、感染のピークは四月一五日だったという（実際は、六月二四日だった）。大勢の科学者がスウェーデンの政策に異議を述べ、隣国よりも多くの人的被害を出したにもかかわらず、スウェーデン政府はこの政策を維持した。七月一五日の時点で、人口一〇〇〇万人のスウェーデンの累積の感染者数は七万六四九二人、死亡者は五五七二人だった。

経済優先策を強行したアメリカ大統領

ウォール街の株価が頭から離れないアメリカ大統領は、外出制限を行いたい連邦政府当局者や州知事と対立した。多くの国民が大統領を支持した。高齢者たちは、自分たちの子供や孫が働き続けるためなら感染症に罹って死ぬリスクをとる覚悟があるとさえ訴えた。四月三〇日の晩、ミシガン州の州都では、州知事が下した自宅待機令の解除を求め、武装したデモ隊が州議会に押し寄せた。

当時、アメリカでは韓国型の戦略を話題にする者は誰もいなかった。しかるべき時期なら、経済大国アメリカが韓国型モデルを導入することは容易だった。トランプ大統領は、感染のピークは四月一六日だったと宣言したが、六月後半の時点で、アメリカの収束傾向はアジアやヨーロッパよりもはるかに弱い。

七月一五日時点では、新規感染者数は七万一七五〇人であり、感染がピークに達したとは思えない。また、確認されているアメリカの累計の感染者数は三六二万人、死亡者は一四万一四四人だった。感染者の四分の一はニューヨーク州の住民であり、とくに貧困地区で密集して暮らす人々だった。この例もまた、密閉された空間のほうがウイルス感染しやすいことを物語る。

ブラジルでも州政府と大統領が対立

人口二億一〇〇〇万人のブラジルでは、自国の経済活動の円滑な進行を第一に掲げるボルソナロ大統領の意向に反して、一部の州が外出制限措置をとった。自宅待機令に反対しても、ブラジル政府が韓国型の戦略を採用することはなかった。南東部、北部、北東部の多くの州では、集中治療室がすぐに飽和状態になった。とくに、アマゾナス州（北西部）とセアラー州（北東部）の状況は悲惨だった。アマゾナス州では、ウイルスに対して脆弱な先住民の間で感染が拡大した。七月一六日時点で、アマゾナス州での死亡者の割合（住民一〇〇万人当たり七四七人）は、サンパウロ州（住民一〇〇万人当たり四一五人）のおよそ一・八倍だった。

六月二三日の時点では、確認されているブラジルの累計の感染者数は一一四万五九〇六人、死亡者数は五万二六四五人だったが、七月一五日時点では、累計の感染者数は一九六万六七四八人、死亡者数は七万五三六六人になった。実際の数は、報告されているよりも一五倍から二〇倍は多いと思われる。二〇二〇年の夏、ブラジルはパンデミックの震源地になると思われる。

脅威を免れているアフリカ大陸、しかし……

世界で年齢構成が最も若いアフリカ（人口の六〇％が二五歳未満）は、現在のところパンデミックの脅威から比較的免れている。アフリカではすでに数多くのウイルスが蔓延しており、そこで暮らす人々は多くの病原体に対して免疫をもっているのかもしれない。とくに中部アフリカで暮らす人々は、エボラ出血熱の際に集団テストを組織したように、パンデミックに対する経験が豊富だ。

だが、アフリカ大陸にも新型コロナウイルス感染症が現在の勢いで広がれば、各国政府は窮地に陥る。対抗手段が著しく不足しているのだ。マスク、検出用キット、人工呼吸器は乏しい。一部のアフリカ諸国では、二〇〇〇万人の人口に対し、合わせてたった五台の人工呼吸器しかない。

世界中で行われた外出制限措置についても、都市部の四分の三の住民が暮らす過密状態の貧困地区で実施するのは困難だろう。南アフリカ共和国では、外出制限を行うために七万人以上の兵士が動員された。四月中旬までに、ナイジェリアの治安当局は、外出制限を遵守しないことを理由に一八人を殺害したとされる。

五月から六月にかけて、ナイジェリア、カメルーン、コートジボワール、ガーナ、南アフリカ共和国などでは、外出制限措置は貧困と飢餓の増加を防ぐために徐々に解除された。しかし、他の大陸に比べると依然として穏やかではあるものの、パンデミックは着実に拡大している。その証拠に、アフリカ大陸における累計の感染者数は、五月二四日時点では一一万三三四八人だったが、六月一五日にはおよそ二五万人、六月二三日には三二万五〇〇〇人、七月一五日には六六万四〇〇〇人になった。

さらに、アフリカにはさまざまな風土病のリスク増大という問題もある。これは、〔パンデミックの混乱により〕医療物資の供給が中断されたことによるものだ。マラリアの感染者数は二億六〇〇〇万人以上だ（そのうち毎年一〇〇万人近くが命を落とす）。WHOは、二〇二〇年末までにマラリアの感染者数は一一%、死亡者数は少なくとも四三%増加すると予測する。

こうした傾向と並行して、ほとんどの予防接種事業も中断された。ユニセフの推定によると、三月以降のアフリカ諸国のワクチンの輸入量は、アジア諸国と同様、七〇~八〇%下落したという。とくに、数多くの航空路線が運航を停止したことの影響が大きい。麻疹、黄熱病、さらには結核などの感染症の流行が再燃する恐れがある。ちなみに、コンゴではすでに麻疹が蔓延している。

医療従事者、マスク、検出用キットを巡る戦い

パンデミックによる大混乱の舞台裏では、世界規模の熾烈な争奪戦が起きていた。各国は大幅に不足する人材、機材、人工呼吸器、マスク、検出用キットを最大限に確保しようとしのぎを削った。世界全体での生産量が不足していたのである。

パンデミック時の人材不足

第一に、医療従事者を確保する必要があった。

先進諸国で働く医療従事者のうち、発展途上国出身者の割合はかなり高い。二〇〇八年から二〇一二年にかけて、七万人のフィリピン人が看護師として外国へ移住した。アメリカ全国の看護師の四％にあたる一五万人はフィリピン出身者である。また、サウジアラビア、日本、スペインでも、外国人看護師の受け入れ数は多い。

医師、看護師、介護士、臨床検査技師など、医療従事者は大幅に不足していた。こうした専門職に就く人材を即席で育成することはできない。よって、パンデミック発生時には、病院内の他部署で働く医療従事者の持ち場を変えることで、集中治療室で働く人材を確保するしか方法がなかった。当然、他の病気の治療体制は手薄になった。

生産、開発、輸送の遅れ

物資の不足はさらに惨憺たる状況だった。

理論上、世界では毎日、一〇〇億枚のマスクが必要だった。また、一億回分の検出用キット、一〇〇〇万台の人工呼吸器も必要だった。二〇二〇年一月、集中治療室で必要なものを筆頭に、大量の物資が不足していた。二〇二〇年五月においても必要な物資の不足は解消されていない。これらの物資を大量生産し、自国のために確保した国々もあった。また、ごく少数の物資を輸出し、法外な価格を提示した国々もあった。また、国内用および輸出用の双方のために物資を生産しようと試みる国もあった。

人工呼吸器の世界最大の生産者は、アメリカ（ベクトン・ディッキンソン・アンド・カンパニー社、メドトロニック社、GEヘルスケア社）、オランダ（フィリップス社）、ドイツ（ドレーゲル社）の各企業だ。三月以降、人工呼吸器の生産に参入を試みる企業が相次いだ。フランスではエア・リキード社、アメリカではベンテック・ライフ・システム社と共同でゼネラルモーターズ社が参入した。それでもインド、中南米諸国、アフリカ諸国にまでパンデミックが拡大すれば、人工呼吸器は著しく不足する。繰り返しになるが、今回のようなパンデミックが新興国でも拡大すれば、多数の死亡者が出る。ヨーロッパや韓国でなら助かったはずの多くの人々が死に追いやられることになるのだ。

二〇一九年一二月から二〇二〇年五月にかけて、筋弛緩薬（人工呼吸器の挿管時などに使用される」の需要が二〇倍に跳ね上がったという。おもな製造者であるアメリカのメルク・アンド・カンパニー（ＭＳＤ）社と南アフリカのアスペン社の生産量だけでは足りないため、現在、対応策が世界中で模索されている。パンデミックが人口の多い途上国にまで広がると、筋弛緩薬の不足は多くの感染者にとって命取りになる。

先ほど述べたように、一月以降、複数の企業がスクリーニング検査（感染者を探すウイルス検出検査と感染経験者を探す抗体検査）の研究開発に着手した。しかし、供給は需要にまったく追いついていない。同様に、さまざまな濃厚接触者追跡アプリの導入が検討されているが、現在のところ、信頼性やプライバシーの保護に関して疑問が残る。

各国のマスク生産事情

マスクについても同様だ。中国のマスクの一日当たりの生産量は、二月は二〇〇〇万枚だったが、四月は七〇〇〇社が生産して二億枚になった。これは世界全体のマスク生産量のおよそ半分を占める。ところが、それでも中国国内の市場の需要さえ満たすことができない。マスクを輸出に回す余裕がないため、中国企業は外国の顧客に販売する際は、注文時に全額決済を要求するようになった（以前は注文時に三〇％の手付金を支払えばよかった）。

そして、ここに**中国政府の政治的な思惑も絡むようになった。**他国の歓心を買うための宣伝行為、各種の国際的な交渉を有利に進めるための取引、そうでなければ、少なくとも中国にはパンデミック拡大の責任がないことをアピールする手段として、マスク外交が行われた。

二月までマスクを輸出していた韓国は、二〇二〇年三月五日、自国の需要を優先して輸出を停止した。だが例外的な措置として、五月上旬、韓国政府は朝鮮戦争に従軍・関与した二二ヵ国の外国人退役軍人と在外自国民に一〇〇万枚のマスクを進呈した。韓国政府は人道支援が目的であれば、マスクの輸入を公式に希望する国に対し、輸出を例外的に認めると宣言した。

ベトナムは中国の生産者に対抗すべく、自国の巨大な工業設備をマスクの生産に振り向けた。といっても、ベトナムのマスクの生産量は、五月中旬の時点では一日当たり一三〇〇万枚に過ぎず、世界でのシェアは小さい（その後、七月上旬の時点では四〇〇〇万枚に達した〔主要な輸出先は日本や韓国など〕）。

一月の時点ではマスクを生産していなかったモロッコは、産業省が徴用した繊維工場を利用して、五月時点で一日当たり一〇〇〇万枚を生産している。今後、モロッコは生産したマスクの一部をヨーロッパへ輸出する〔五月二一日に輸出が許可され、六月上旬までに一八五〇万枚が輸出された」。

フランスでは、大勢の個人のささやかな努力を除き、マスクと検出用キットを大量生産するための生産設備の徴用は、一二月、一月、二月、三月、四月、そして五月になっても一切なかった。マスクなし、検出用キットなし。大量生産が可能な設備は存在していただけに、これは悲劇的な失策だった。一〇年前に築いた在庫でしのごうとしたが、案の定、行き詰まった。

恥ずべき争い

マスクを生産しない国や都市では恥ずべきマスク争奪戦が起きた。ベルリン市当局は、中国に発注したマスクをアメリカが強奪したと訴えた。ベルリン市当局によると、これは「現代の海賊行為」だという。フランスの地方と都市は、締結した契約を反故にしてマスクの価格を吊り上げているとしてアメリカの中間業者を糾弾した。

新型コロナウイルス感染症拡大という医療危機の津波により、経済危機と社会崩壊という脅威が現実になった。そこには**「自分さえよければ他人はどうでもいい」という態度**が透けて見えた。

つかの間の収束か？

感染拡大の状況を把握するには、「一人の感染者が、まだその感染症の免疫を誰ももっていない集団に入ったときに生み出す新規感染者数の平均値」である基本再生産数（R_0）の推移を追う。この数字が一より大きい場合、感染は拡大し、一より小さい場合、新規感染者は減少し、感染は縮小する。また、重症化した感染者数や、一日当たりの死亡者数と感染者数からも感染拡大の推移を読み取ることができる。しかしながら、これらのデータは日ごとに実施される検査件数の変化と密接なつながりをもつため、慎重に解釈する必要がある。

収束に向かいつつある国、見通しが立たない国

韓国型モデルを導入した国では、感染爆発は確認されておらず、パンデミックは収束に向かっている。

たとえば、韓国の新規感染者数は、四月一八日から五月九日にかけて、ごくわずかな例外を除き、二〇人を超えていない〔その後、五月中旬以降に微増したが、二桁の人数に収まっている〕。四月一八日以降、韓国では新型コロナウイルス感染症による死亡者数は一日当たり三人未満だ。たしかに、五月中旬と六月中旬に一部の不注意な人物によって集団感染が発生したが、すぐに追跡調査が行われた。六月末と七月上旬の新規感染者数は五〇人前後と安定しており、感染の第二波が発生する気配はない。

中国型モデルを導入した他の国々の感染拡大が四月上旬以降に収束するかは、かなり不確かな状況にある。

三月一二日、中国の国家衛生健康委員会は、中国の感染ピークは去ったと述べたが、これは誤りだ。また、イタリアでは、重症化した感染者数が四月三日にピークに達し（イタリア市民保護局によると四〇六八人）、その後は減少傾向にある。イタリア政府は、感染ピークは三月二一日だったと正式に発表した。

フランスでは外出制限措置によって基本再生産数（R_0）が三・五から〇・六未満になった。四月一日以降、新規感染者数は激減した。

四月上旬以降、累計感染者数の日々の増加ペースは急減した（累計感染者数が倍増するペースは、三月三一日から四月一三日までの間に三日から一四日へと延び、その後、四月のうちに二〇日から三〇日程度になった）。

四月八日以降、病院で新たに死亡する感染者数は急減した。

四月中旬以降、病院での累計死亡者数を示す曲線の傾きは明らかに緩やかになった。

集中治療室に入院する患者数は、感染が拡大した当初の一日当たり七〇〇人から四月中旬には二〇〇人になった。

五月一九日の新規死亡者数は一〇四人でしかなかった。七月一五日は二〇人だった。

重症化した感染者の数は、パンデミック危機の発生当初に利用可能だった集中治療室の病床数に相当する四五〇〇人を超えるのではないかと心配されていたが、五月一九日の時点では二〇〇〇人未満に、七月一五日では四八二人になった。

そうはいっても、七月中旬、フランスにおけるコロナウイルス感染症の再生産数は一・〇五になったため、感染が再び拡大する懸念が出てきた。

第三章
一時停止した世界経済

新型コロナウイルス感染症による医療面の津波を押しとどめるための解決策は、われわれが知る通り、ワクチンと治療薬の開発だ。その間、大規模な都市封鎖を避けるには、マスクの着用、検査の実施、感染経路の追跡調査、感染が疑われる者の隔離を行うことになる。

一方、経済危機という津波をどうやって押しとどめればよいのかは、よくわかっていない。というのは、これは人類が自己決定により招いた危機であり、過去の経済危機とは性質がまったく異なるからだ。つまり、**これは金融経済ではなく実体経済の危機**なのだ。その大きさは計り知れない。いまだにほとんどの人がこの危機のあまりの深刻さと多面性について把握できていない。

今回、**自分たちの想像を絶する未知の出来事に遭遇した政治指導者たちは、最初は概し**

て現実を認めようとせず、その後も事態の深刻さを否定した。そして、**一切の物事を停止し、危機が自然に過ぎ去るのを待ちながら傍観した後、元の状況に戻さなくてはと狼狽している**のだ。

このような態度では危機を乗り越えることはできないだろう。この間、危機に見合った抜本的な改革を準備できないのなら、それは現実を一時停止させているに過ぎない。ようするに、それは奈落の底に落ちる前の、ほんのひと時の安息でしかない。

事実関係のメカニズム、そして事実を客観的に示すあらゆるデータを把握することは骨の折れる作業だと思われるかもしれない。だが、こうした作業は、われわれの元に訪れつつある課題の驚くべき大きさを理解するうえで欠かせない。**少なくとも今後一〇年間、われわれはこの危機の後始末に追われることになるかもしれない。**その代償を知っておくために、しばし説明にお付き合いいただきたい。

「たいしたことはない」との思い込み

第一に、二〇二〇年一月初旬どころか二月過ぎになっても、多くの先進国の政治指導者たちは大型パンデミックの存在を信じようとしなかった。これは季節性インフルエンザのようなものに過ぎないと軽視した彼らは、対策のために経済活動を減速させることなど考えてもいなかった。

すべては一月末、中国で始まった。武漢市（人口一一〇〇万人）と黄岡市（人口七五〇万人）では、自動車の製造会社とその下請け企業、半導体の工場、化学工業や金属精錬工業の企業は、春節の休暇を終えて操業を再開するはずだったが、なぜか閉鎖されたままだった。武漢市と黄岡市だけでなく多くの都市で、一言の説明もなく春節の休暇が延長された。たとえば、世界のノートパソコンの四分の一を生産する重慶市では、休暇が二月九日まで延長された。浙江省、江蘇省、広東省（ともに太平洋湾岸の工業地域）でも、すべての工場の操業が二月九日まで停止された。しかし、「必要不可欠」と見なされる生産活動と、一部の戦略的企業の操業は維持された。たとえば、広東省のほとんどの工場は閉鎖された一方で、ファーウェイ（華為技術）社の広東省東莞市にある工場群は操業し続けた。二月、失業率は過去最悪の六・二％にまで上昇したが、心配する者は誰もいなかった。三月、中国の工場は操業を再開した。二月末、中国の第1四半期のGDPは前年同時期比六・八％減になっていたが、誰もそのことに注意を払っていなかった。

世界各地で、人々はこれらのことをとるに足らない地域的な問題だと捉え、中国はこれらの問題をあっという間に解決するはずだから、世界経済の見通しには何の変化もないだろうと考えていた。

しかしながら、西側諸国の一部の識者は、**中国の一部の地域がたとえ一時的にせよ、工業生産を停止したことは、それ自体、経済的にきわめて深刻な事態だ**と受け止めた。というのは、（生産停止による）供給と（中国人の所得減による）需要が同時に危機に陥ったからだ。彼らの心配に耳を傾ける者はほとんど誰もいなかった。当時の私の発言も聞き流された。彼らは次のように付言した。「パンデミックはおそらく非常に深刻であり、中国がこれを早期に抑え込むことはできないだろう。韓国と台湾がこのパンデミックにいかに備えているかに目を向けるべきだ」。

現実否認：孤立経済

パンデミックにはるかにうまく対応した韓国、台湾、ベトナムなどの国・地域では、工場は閉鎖されず、生産活動はあまり鈍化しなかった。鈍化したとすれば、外需が減り、自国の生産活動に必要な物資の供給が外国から途絶えたためだ。

他方、中国、ヨーロッパ、アメリカ、そしてその後に世界中の多くの国が採用した隔離戦略では、労働者ならびに消費者の密集が禁止された。したがって、これらの国では社会の機能を維持するのに必須の立場の人々しか就労できなかった。

それらの職業部門を列挙すると、医療、軍、警察、警備業、道路管理業、運送業、食料品販売業、農業、食肉処理業、食品加工業、漁業、エネルギー産業、衛生管理業、水事業、テレコミュニケーション事業、IT事業、宅配業、そして、最低限の公共交通機関と公共事業だ（職人のように、少人数で働く職業も就労を続けられたかもしれない）。

これらの職業部門では、国によって就業者の三〇％から四〇％ほどが働いている。だが、**社会は彼らの働きに対して充分な感謝の念を示していない。**

先述以外の業種の工場、作業場、工事現場、商店は閉鎖された。学校、大学、レストラン、美容室、バー、ホテル、画廊、映画館、劇場、コンサート会場、スタジアム、会議場、航空機、クルーズ船、スポーツクラブも閉鎖された。

これらの業界で直接的および間接的に働く人々は失業を強いられる。ガソリンスタンドのように顧客の足が遠のくことによって閉鎖に追い込まれる場合もある。また、**一部の書店のように、営業を続けられる業種でありながら閉店を強いられる場合もある。**

テレワークの光と影

今回の危機では、遠隔作業が可能な人々には世界各地でテレワークが導入された。**テレワークで就労可能な人口は一般に考えられているよりも多かった。**たとえば、官民の管理職、非営利団体の職員、国会議員と地方議員、そして大学教員の大半もテレワークが可能だ。

かなり以前から大勢の人々がテレワークで働いているアメリカでは、大卒者の三〇％はしばしば自宅勤務を行う。デンマークをはじめとする北欧諸国の就業者の場合、週二日はテレワークで働くことが多い。**彼らの勤務評定は、出勤日数や労働時間数よりも、むしろ**

成果に基づいて行われる。このような雇用体系により、北欧諸国の女性の就業率は他のどの国よりも格段に高い。

すでにテレワークが導入されているメディアやコールセンターなどで働く人々は、テレワークによる就労をさらに増やすことができる。ヴァーチャルエンターテインメントの分野で働く人々は、新たなコンテンツの制作作業を除けば、すでにテレワークを始めており、今後も増えていくだろう。

国によって異なるが、テレワークが可能なのは就業者全体の二〇％から四〇％だろう。裕福な国ほど、この割合は高くなる。よって、テレワーク就業率の最も高い国がアメリカなのは驚きではない。

当然ながら、テレワーク就業の可否は社会階層と強い相関関係にある。

テレワークの推進は、一部の企業に大きな成功をもたらした。たとえば、ウェブ会議サービスを提供するカリフォルニアの企業、Ｚｏｏｍ《ズーム》ビデオコミュニケーションズ社だ。二〇一九年一二月から二〇二〇年四月にかけて、この会社が提供するサービスの利用者は三〇倍に急増した。

フランスでは都市封鎖の期間中、就業者の二五％は職場へほぼ毎日出勤し、四％はテレワークと出勤を併用し、二〇%はテレワークで終日働き、四五%は就業を完全に停止した。就業を停止した者は、部分的失業制度〔休業期間中、従業員は賃金の一定割合を受給できる〕によって一時的に保護されるが、この制度を実際に利用できたのは就業者の六%だった。本書の執筆時、テレワークに従事している人々の四一%はイル＝ド＝フランス地域圏〔パリを中心とする地域圏〕に暮らし、ノルマンディー地域圏〔フランス北西部〕にいるのはわずか一一%だ。

ようするに、このような対応は、密集経済を停止させ、孤立経済を生み出す。これは多くの者が自発的に独房で暮らすような社会であり、引退した高齢者が生き延びるために若者を働かせないようにする社会だ。

孤独に埋没して衰退するこうした社会が、経済、文化、政治、エコロジーに、現在そして将来にわたっておよぼす影響は計り知れない。

奈落の底

衣服や自動車を購入する者はほとんどいなくなった。飛行機の座席やホテルの部屋を予約する者はほとんどいなくなった。国内の製造業は、外国からの部品調達が困難になったため、多くの製品の生産を停止した。

瞬時にして生産と消費が同時に崩壊していく様子を、われわれは目撃している。第一に、エネルギー消費だ。四月と五月の世界の石油消費量は、前年同月比で三分の一減少した。中国では二〇％減、アメリカでは三〇％減、インドでは七〇％減だった。

非集団隔離型の戦略を選択した国の生産活動は、それほど大きな影響を受けなかった。たとえば韓国のＧＤＰは、電化製品や石油化学製品などの輸出が落ち込んだためにわずかに減少したのみだった。

ヨーロッパの事情はまったく異なる。ＥＵの第1四半期のＧＤＰは三・八％減だった。最も影響を受けたのは、フランス（五・八％減）、スペイン（五・二％減）、イタリア（四・七％減）だ。

第2四半期はさらに悪化する。最も悲観的な予測では、アメリカ経済の第2四半期は三八％減、年率換算では一二％減だ。

三月、先行きに懸念を抱いた複数の国際機関は景況の見通しを下方修正したが、大半の国際機関はまだ楽観的だった。世界貿易機関（WTO）は、二〇二〇年の世界貿易は前年比一〇％減と予測するが、実際の減少率はおそらくこの倍以上だろう。国際通貨基金（IMF）は、世界のGDPは三％減と予測するが、実際は少なくとも七％減くらいになるのではないか〔IMFは見通しを下方修正している〕。そうでなくても一部の国のGDPは二〇％減になるはずだ。

二〇二〇年を通じて経済活動は眩暈がするほど著しく下落するだろう。ドイツでは六・六％減、ギリシアでは八％減、さらには、スペインでは一一・一％減、イタリアでは一一・三％減、フランスでは一一・四％減が見込まれている。ただし、これは経済協力開発機構（OECD）の楽観的見通しであり、第二波がない場合の予測だ。

これは深刻な危機である。パンデミックが二〇二〇年夏に収束に向かうとしても、今回の危機は、二〇〇八年の世界金融危機〔二〇〇七年からすでに混乱が始まっていた〕とは別物であり、生産活動が四年間落ち込んだ一九二九年の世界恐慌とも様相が異なる。**今回は、**

わずか三ヵ月での急落である。

一変する世界の雇用状況

この危機は、世界中の雇用に想像を絶する悲惨な影響をおよぼす。
世界の雇用の三分の一以上が脅かされる。おもに単純労働や中間層の職が失われる。最も影響を受ける産業部門は、自動車産業、宿泊業、飲食業、興行、娯楽、貿易だ。アメリカとヨーロッパでは、自動車産業の雇用者数は産業界で最も多く、民間就業者の五%から一五%に相当する。最も職を失う可能性が高いのは、一〇人未満の零細企業に勤める従業員と若者だ（若者が失業しやすい理由は、熟練した技能をまだ身につけていないためや、最悪の時期に労働市場に参入したため〔日本では新卒者の採用内定取り消しなど〕）。とくに中間層は大打撃を受ける。

中国で失業の脅威にさらされるのは、労働力の二五%に相当する二億五〇〇〇万人（二〇一九年の統計では二億九〇〇〇万人、労働人口の約三〇%）の出稼ぎ労働者だ。

アメリカでは三月に一三〇〇万人の労働者が解雇され、四月には二〇五〇万の雇用が失われた。二〇一九年末に三・五%だった失業率は三月末に一三%に達し、四月末には一四・

七％にまで上昇した。アメリカの失業率は、五月（一三・三％）と六月（一一・一％）に奇跡的に回復したが、二〇二〇年末までは一〇％台で高止まりすると思われる。

フランスでは第１四半期に四五万人の雇用が破壊された。二〇二〇年末には、あらゆる対策を講じても失業率は再び一一％にまで上昇する可能性がある。

ヨーロッパでは雇用の四分の一に相当する六〇〇〇万人の雇用が脅かされている。

この途方もない事態は、思い描くことさえ困難だ。

危機の影響を受けやすい中間・貧困層

国際労働機関（ＩＬＯ）の総括によると、今回の感染症対策の大失敗により二億人の雇用が破壊され、少なくとも二〇億人の所得が減る見込みだという。

とくに、**中間層の労働価値はテレワークの導入によって減価するため、彼らの存在意義は大きく損なわれる。**

二〇二〇年三月時点で、アメリカ人の四分の三は収入が減っていた。二〇二〇年五月末には、アメリカ人の三分の一は請求書の支払いに苦慮した。五月末を乗り越えるだけの貯えをもつアメリカ人は半数にも満たなかった。三月にアメリカ連邦政府が一回限りで給付した〔一人につき最大〕一二〇〇ドルの小切手はすぐに使われた。

一〇〇万人近くのヨーロッパ人が極貧状態に陥る。イタリアでは都市封鎖と休校によって七〇万人の子供たちの暮らしが脅かされた〔低所得世帯の子供が給食などの食糧支援を得られなくなったことを指す〕。イギリスでは、四月最初の二週間で一〇〇万人近くの成人が「ユニバーサル・クレジット」〔低所得者向けの統合型福祉制度〕の利用を申請した。これは危機発生前の申請数の一〇倍だ。

二〇一四年以来減少傾向にあった世界の貧困率は、二〇二〇年に再び急増するだろう。

副次的な影響

こうした状況がおよぼす影響の一つとして、世界中で患者の受診回数が減ったことが挙げられる。数多くのCTスキャン、大腸内視鏡、MRIによる検査が取りやめになったのだ。**パンデミックとは別の原因による、未然に防げたはずの死が、近い将来に多発すること**が予見される。

企業では、顧客だけでなく、事業を維持するための運転資金や資本が不足し、倒産が続発する恐れがある。たとえば、旅行会社、航空会社、クルーズ船の運営会社、ホテル、レストラン、舞台芸術や興行会社が代表的だが、さらには、自動車会社、繊維会社、航空機製造業者、水上レジャー産業の会社、化粧品会社、ぜいたく品の会社など、他にも多くの企業が影響を受けるだろう。

反対に、危機に乗じて売り上げが増えた製品、雇用を増やした産業、業績を伸ばした産業がある。たとえば、一部の治療薬、医療機器、衛生用品、基本的な食料品、宅配業、物流業、視聴覚メディア、オンラインの娯楽、インターネット通販、オンラインチャット、出会い系サイト、オンライン会議用アプリ、家庭用品の修理業、中古品販売業などだ。また、超高級品などの一部の産業も売り上げを伸ばした〔富裕層が自宅で快適に過ごすための環境整備を行うなどしたため〕。

これまで以上に忘れ去られた途上国の存在

今回の危機は最貧国にとりわけ深刻な影響をおよぼした。

第一に、都市部の基本食が脅かされた。自宅待機を理由にアフリカの農民は畑で働くことができず、交通や物流も遮断されたため、農業の生産量は減少している。だが、自国の生産不足を輸入で補うことはできない。というのは、農業の輸出大国（ロシア、インド、ベトナム、タイ）が輸出を減らしたからだ。国連世界食糧計画（ＷＦＰ）の見通しによると、二〇二〇年に栄養失調に苦しむアフリカの人口は、前年比三倍の二億人を突破する可能性があるという。とくに懸念されるのは、新型コロナウイルス感染症による物流供給網の分断に加え、バッタの大群と洪水による被害を受けたアフリカ東部だ。

セーフティネットのない人々の困窮

新興国では、社会保障制度の枠組みから漏れた人々に失業が大きな影響をおよぼす。インドでは就業者の三分の二は労働契約を結んでおらず、政府が保護するのは四億七〇〇〇万人の就業者のうちの一九％でしかない。インドの失業率は三ヵ月間で八％から二六％に跳ね上がった。一億四〇〇〇万人以上の出稼ぎ労働者は、雇用を失い極貧状態に陥る恐れがある。六月初め、パンデミックが収束状態には程遠いにもかかわらず、インド政府は外出制限措置の解除を強いられた。

バングラデシュでは、貧困地区や農村部における最貧層の平均収入は、一月から五月にかけて八〇％以上減少した。バングラデシュ政府のデータによると、貧困線〔生活必需品を購入できる最低限の収入〕以下で暮らす人口の割合は、二〇％から四〇％へと倍増する可能性があり、非公式経済で働く人口の八五％は深刻な影響を受けるだろうという。

先細る出稼ぎ労働者の仕送り

アフリカでは今回の危機によって雇用の半分が脅かされる。

しかも、外国に居住するアフリカ人労働者の祖国への送金〔在外国民の送金がGDPに占める割合は、レソト王国で一六％、セネガルで一〇％、ナイジェリアで六％〕は、セネガルで三〇％減、ナイジェリアで五〇％減の見込みだ。

総括すると、これまで微増あるいは微減を経てきたアフリカ人の平均的な生活費の水準は、二〇二〇年に少なくとも五％減になるだろう。

これまでに紹介した以外の新興国の状況も芳しくない。二〇一五年と二〇一六年の歴史的な不況からいまだに回復していないブラジルは、二〇二〇年のGDPが九％減になる恐れがある。ブラジルの失業率は一一%から二四%に上昇するだろう。とくに、非公式経済で働く三〇〇〇万人の労働者に対する影響は甚大だろう。また、この間もアマゾン熱帯雨林の森林破壊は進行しており、二〇二〇年に入ってからの四ヵ月間、前年同期比で五五%増という記録的なペースで加速した。一月上旬から四月末にかけて、一二〇二平方キロメートルの森林が破壊されたのだ。

問題の先送り：孤立経済に投入される公的資金

今回の危機による失業の急増に怯えた各国の中央銀行と政府は、中間層の大半が無産階級に転落すること、そして、自国企業が破綻することを恐れ、（準備金をもつ国、あるいは自国の貨幣が準備通貨である国の場合は）自国の国民、銀行、企業を、かつてないほど多額の信用供与と補助金の支給によって積極的に支援している。

中央銀行による際限なき支援

当初、各国の中央銀行はきちんと協議することなく寛容な政策を競い合った。つまり、**自国の銀行と政府に対し長年にわたって際限なく融資してきた日本銀行の例を真似た**のである。

中国人民銀行〔中国の中央銀行〕は、二月初頭から大量の資金を供給し、貸出金利を引き下げた。同時期、韓国銀行〔韓国の中央銀行〕は中小企業支援策を打ち出し、政策金利を引き下げた。

アメリカでは二〇二〇年三月末以降、多い日で一日当たり九〇〇億ドルの債券を連邦準備制度（FED）が購入した。月単位で見ると、これは前回の金融危機の際に債券を購入したペースを上回る。四月九日、FEDは二兆三〇〇〇億ドルの債券を購入すると発表した。

イングランド銀行〔イギリスの中央銀行〕はさらに直接的に、史上初めてイギリス政府に資金を融通した。

危機発生後のヨーロッパ中央銀行（ECB）の政策は、月ごとに大胆になった。ECBは格付けの低い債券も含め、制限なしに大量の有価証券を購入すると決めた。

各国中央銀行がこの調子で債券を買い進めると、三つの中央銀行（日本、アメリカ、ヨーロッパ）の保有総資産額は、二〇一九年の一四兆六〇〇〇億ドルから二〇二〇年末には二〇兆ドルを超えるだろう。FEDの保有総資産額だけでも、二〇二〇年末までには三倍近く増加して一〇兆ドルを突破する見込みだ。現在、ユーロ圏の公的債務の二〇％を保有するECBは、この割合をまもなく二五％に引き上げ、ドイツの公的債務も三〇％以上保有するという。ドイツの連邦憲法裁判所は、この眩暈《めまい》を催させるECBの手法に苦言を呈した。

保険も役には立たず

各国の中央銀行が大胆な支援策を打ち出しているのとは反対に、保険会社はほとんど貢献していない。というのは、保険会社では、パンデミックによって生じる損失は補償しないことになっているからだ〔SARS、MERS、エボラ出血熱、ジカ熱など、過去の感染症の補償で多額の負担がかかったことが背景にある〕。対象となり得るのはイベント中止だけだ〔ただし、日本の場合は、イベント保険も多くが感染症による損害を対象外としている〕。不況の影響によって資金繰りの悪化する企業が急増するだろう。

財政赤字の急増

さらに、政府も世帯や企業への補助金や融資などを通じて巨額な資金を提供している。日本政府は事業規模〔一〇八兆円〕が対GDP比でおよそ二〇％に相当する経済支援策を打ち出した。そのうち、実際の財政支出は対GDP比七％である。

手始めに四〇〇〇億ユーロ規模の経済対策を打ち出すことにしたEUは、将来的にはEU加盟国の予算を担保にして一兆五〇〇〇億ユーロを調達する予定だ。五月一九日、フランスとドイツはEUが最低でも五〇〇〇億ユーロ規模の経済対策を打ち出すことで合意した。

フランスは他国に先駆けて踏み込んだ支援策を打ち出した。たとえば、ほぼすべての自国企業に対し、資金繰りを支援するための融資を確約した。さらには、部分的失業制度を通じて支給される、自宅待機中の民間企業従業員の賃金の一部を公庫から支払い、失業中の芸術家に手当を支給した。また、賃貸人〔貸主〕に対して補償金を支払う一方、彼らが賃借人〔住人やテナント〕を追い出すことを禁じた。

G20首脳テレビ会議を開いた各国の政治指導者は、世界経済に総額五兆ドルを投入すると表明した。同時期、IMFは、債務保証に二兆八〇〇〇億ドル以上が投じられるだろうと述べた。世界全体では、三ヵ月で一〇兆ドル近くがこの危機との戦い〔政府による財政措置〕に投じられているという。これは世界のGDPのおよそ一〇％に相当する額だ。

結果として、フランス、スペイン、イタリアなどの国では、財政赤字が自国の対GDP比で一〇％を突破する。アメリカでは二〇％にまで達するかもしれない。

幻想に基づく支援

パニックに陥ったこれらの政府のなかには、もう一つの間違いを犯したところもある。それは、**新たな暮らしに国民を誘導するのではなく、物事が危機発生以前の状態に戻るのを待てばよいという安易な考えを容認した**ことだ。

さらには、一部の人々を、思いがけない援助を受けたフリーライダー（ただ乗り客）のような状態にしてしまった国々もある。アメリカの一部の労働者は、少なくとも七月三一日までは、働いているより失業中のほうが多くの収入を得られることになる。フランスの労働者の場合、さらに手厚い援助をより長い期間受けられる。

漫然とした援助に満足する態度は悲劇的な自殺行為といえる。というのは、公的支援はまもなく限界に達するからであり、新たな世界に適応する者だけが勝者になるからだ。そして、**元の世界に戻れると期待する人々は儚い幻想に翻弄される。**

「危機はいずれ収束する」という幻想

国の支援策が公的債務を急増させることは間違いない。

このペースで支援が拡大すると、アメリカの政府債務の対GDP比は、二〇二三年には一九四六年の水準（一一六％）を超えるだろう。すでに二二〇％を超えた日本では、来年には二四〇％に達する可能性がある。二〇二〇年末までには、イタリアでは一三五％から一五五％へ、フランスは一七ポイント上昇して一一五％になる見込みだ。これは前例のない水準である。公的債務に関して厳格なドイツも五九・八％から六八・七％へと増加する見通しだ。二〇二一年のOECD諸国の平均値は一二〇％を突破するだろう。なかでもユーロ圏は二〇一九年末の八四％から二〇二二年には最大で一一二％にまで達することが予想される。世界全体では、公的債務の対GDP比は二〇一九年の八三・三％から九六・四％へと上昇し、世界の政府と民間の債務の対GDP比は、二〇二〇年末には三〇〇％近くになる見込みだ。

大盤振る舞い

しかしながら、債務残高の膨張に懸念を抱く者は誰もいない。多くの者たちは、こうした状態は永続的だとさえ考える。

彼らが最初に口にするのは、「公的債務は巷で考えられているほど巨額ではない」である。その理由は、国の公的債務を自国のGDPと比較するのは、自治体の借金をすべての住民の収入の合計額と比較するようなものであって意味がなく、本来なら債務は予算とだけ比較すべきだからだという。また、公的債務の使途が問題であり、投資なのか、単に一般経費に充当されたのかを切り分けるべきだという。国の返済能力を考慮に入れ、借り手が誰なのかを見極め、毎年の債務返済額を国の歳入と比較する必要があるという。そうした基準を用いると、フランスの公的債務は公的支出額の二〇％であり、毎年の債務返済額はG

DPの二％に過ぎない。これは歳入のおよそ五％であり、個人が銀行のローンを組む際の年収に占める返済額の割合よりも小さい。

公的債務の削減を巡る四つの方法

だが、そうした基準を用いてもなお公的債務が巨額だと判明した場合、これをしかるべき期間に大胆に削減することはとうてい不可能だ。公的債務を大胆に減らすには、四つある方法のうちのどれか一つを使わなければならないのは、歴史が教えるところだ。すなわち、借り手がきちんと返済する、借り手が借金を踏み倒す、戦争、経済成長だ。どの手段も望ましくも可能でもない。

一つめの、借り手（つまり、納税者）が強制的に、あるいは自発的に返済するという方法は、増税と政府支出の削減、つまり、「緊縮」であり、これは毎年の債務返済を困難にさせるだけだ。

二つめの、公的債務の帳消しによって借金を踏み倒す方法も、まったくもって不条理だ。なぜなら、ほとんどの場合、自国の預金者が公的債務のかなりの部分を保有しているからだ。

三つめの、戦争などの大惨事によって増税を断行する方法も推奨できない。こうしたやり方は褒められたものではなく、公的債務を膨張させる恐れさえある。

四つめの経済成長は、インフレをともなったとしても最良の方法だろう。だが、この方法を用いるには、潤沢な融資と補助金だけでなく、さらなるものが必要となる。それは、現時点では誰も実行しようとしない変革だ。これについては、後ほど問題提起する。

中央銀行という打ち出の小槌

また、これらのどの方法も可能性がなく、政治指導者が新たな方法を模索しようとしない場合、彼らは公的債務の責任を中央銀行に押し付ける。中央銀行がすべてを引き受けてくれるという筋書きだ。そして実際に、中央銀行は、国、銀行、企業に、以前にもまして堂々と資金を供給することによって、そうした期待に応えている。このような状況は今後も長期にわたって続くだろう。一次産品の価格暴落と失業の増加（失業により、賃金には下方圧力がかかる）という理由から、インフレは起こりそうにない。だが、考えてみてほしい。**理屈上、公的債務が制御可能になるのは、名目成長率**（実質成長率にインフレ率を含めたもの）**が金利よりも高いうちだけとなる。ところが、先に述べたような状況では、経済成長**

はもう期待できないのだ……。

結局のところ、中央銀行の場合、たとえ債務超過になっても破綻することはまずない。たとえば、チリ中央銀行は長年にわたって債務超過だったが、もちこたえた。さらには、中央銀行は自国通貨の価値の裏付けとなる外貨準備や一次産品（チリの場合は銅）を保有しなければならない。

したがって、多くの政治家は、解決策が見つからなくても問題はいずれ消えると考える。そして、中央銀行が企業と世帯への支援に資金を際限なく供給してくれるだけで充分だと考えるのだ。その間、改革は一切行わない。これまで通りのやり方を続けるのみだ。危機が自然消滅するまで、それをただ続けるのである。

問題先送りの行き着く先

この危機が自然消滅することはない。企業や政府が経済と社会に対して数多くの革新的な行動を起こしたとしても、また数多くの団体が脆弱な人々の暮らしを支援したとしても、孤立経済というモデルに持続性はない。問題を先送りにしながら経済を賄うには、政府と中央銀行からの拠出を増やし続けなければならない。**孤立経済では、公的債務は毎年増加し、最も信頼されている中央銀行であっても、最終的にはその信用は失墜する。**

さらに、孤立経済では、精神障害、暴力、飢餓、そして数多くの思わぬ病気が多発する。孤独感を消費で紛らわすのではないかと期待する向きも多いが、そのようなことは起きないだろう。

このままでは、いずれ未曾有の金融危機が発生するだろう。顧客が減り、最初に零細企業、次に一部の大企業が苦境に陥るが、国の支援はやがて限界に達するはずだ。すべての自国企業を国有化できる国は存在しないのだ。

孤立社会に忍び寄る緩慢な死

いかなる支援策も受けられない人々や、生活の糧を得るには顧客や雇用主に依存しなければならない人々の不安定な暮らしも悪化する。ヨーロッパの中間層も含め、世界中の世帯に、失業、自己破産、住居の喪失、さらには飢餓が蔓延するだろう。ところが、彼らの大半は自分たちを待ち受けるこうした脅威にまったく気づかない。

現在のところ、これらのリスクはまだ隠蔽されている。その間に、**生活基盤が脆弱な人や貧者に危機の代償を払わせる準備が進行する。中間層にも危機の後始末が押し付けられ、彼らも貧困に転落するに違いない。**

孤立社会が経済的、社会的、精神的に持続可能でないと彼らが見抜いたとき、窮地から抜け出そうとする彼らは、この陥穽へと自分たちを導いた者たちに復讐するだろう。

エゴイズムの台頭と社会的格差の拡大

精神的な衝撃を受け、現実を否認し、問題を先送りした後の常として、人間はこの世での貴重なひと時の楽しみを邪魔するあらゆるものを排除しようとするだろう。

多くの人々が、次のように述べている。

――結局のところ、今回のパンデミックは高齢者だけが重症化する病気だ〔実際には若者の死亡例も出ている」。

――それなのに、なぜ彼らのために経済活動を停止させたのか。

――なぜ再び生き生きと暮らそうとしないのか。

――なぜ経済活動を再開せずに貧困に甘んじなければならないのか。

――たとえ、一部の高齢者が寿命よりもほんの少し早く死ぬ恐れがあったとしても、構わないではないか。

生きる力を奪われる人々

二〇二〇年四月以降、世界中で自宅待機を強いられた人々の多くは、都市封鎖は持続的な解決策ではないと理解し始めた。たとえ、韓国などの対策を見習えば都市封鎖が回避可能だったとまでは気づいていなかったとしてもだ。

こう見抜く者たちもいた。経済活動を停止させておくことはできず、就労を禁じられた人々をいつまでも養うことは不可能だ。政府と中央銀行が国の経済を持続的に国有化することなどできない。創造、生産、販売を再開するための解決策を探すことも、その手助けをすることもしないまま、一部の人々に対して働かずに収入を得る習慣を植え付けるのは自殺行為だ。しかも国からの支援もいずれ受けられなくなる。国と中央銀行が破綻すれば、彼らは野垂れ死にする。

未来からの逃避

また、人々はこのようなことにも気づき始めた。**何もしなければ、危機後の世界は金持ちの生活様式に有利に働く。**そのため、庶民の生活費はかさみ、庶民は固まって暮らし、金持ちは自らを特別視して庶民と交わろうとしなくなる。**公共交通機関での移動には**〔運行本数の減少や路線の廃止などにより〕**時間がかかるようになり、旅行代は高くなり、海水浴へ出かけるのは難しくなり、健康によい食材も値上がりするだろう。**

そこで全員が過去の世界に戻りたがる。生きるためには過去の世界に戻るしかないと信じるのだ。

幻想である。過去の世界に戻っても、そこにあるのは、この死の経済を生み出したものだけである。

第四章　国民を守り、死を悼む政治

政治が管理する社会、そして政治が保証する文化が深刻な危機に陥るのは、政治が国民の幸福を確約できなくなったとき、国民に一定の生活水準を保証できなくなったとき、そして将来世代に一定の暮らしを約束できなくなったときだ。とくに、国民から死を遠ざけられなくなり、死に意義を与えられなくなり、死を忘れさせることさえできなくなると、社会と文化は危機に瀕する。

もし、誰もが悪夢はいずれ遠ざかると信じているとしても、本書のこれまでの章からおわかりいただけたように、**わずかな火の粉であっても大火事になる恐れがある。**たとえ、今回のパンデミックが終息したとしてもだ。

今日、火の粉はあちこちにある。すべての国々で、**この危機が発生する以前から芽生えつつあった暴力が、これまでにない口実、理屈、大義を見出して横行する兆しが確認でき**

る。

われわれがそうした危険な状況を軽視し、知力と抵抗力を総動員することがなければ、待ち受けるのは惨憺たる未来だろう。民主主義は一掃され、国際協調体制は無に帰し、戦争が再び勃発するかもしれない。

そうはいっても、最悪の事態が訪れる可能性はごくわずかだろう。というのは、われわれには**この難局をできる限りうまく切り抜け、急激な変化から最良の部分を引き出す**ためのあらゆる手段があるからだ。

その実現には、まず、公衆衛生、経済、社会の側面を超えて、この急激な変化の正体を把握する必要がある。つまり、政治、経済、さらには社会、文化の面において、このきわめて特殊な時期に確実に起こる物事から生じる、さまざまな現象の本質を見抜くのだ。もしその方法がわかれば、新たな暮らしを築ける可能性があることに、われわれは気づき始めるだろう。

政治の重要な役割：国民を守る

今回のパンデミックにおいて、政治は機能しなくなり、その役割を果たせなくなった。死を悼む儀式は、親愛なる人とのつながりを確固たるものにし、人生と離別に意義を付す。この儀式は、太古からきわめて重要だったが、われわれはこれが解体されるのを目にしてきた。

あらゆる種類の陰謀論や侮辱が渦巻くようになった。今回のパンデミックの犯人は順に、中国、アメリカ、フランス、ロシア、フリーメイソン、ユダヤ、イスラーム、銀行、製薬会社だと噂され、われわれはそうした説を見聞きしてきた。驚いたことに、フランスの司教たちは、パンデミックは宗教の自由を奪うための口実に過ぎないとさえ説いた。外国人は誰もが敵だとの説明もあった。ようするに、**われわれは自分たちとは出自が異なるものを片っ端から犯人に仕立て上げ、責任を追及しようとした**のだ。

家庭内暴力や小児への性的虐待など、弱者への暴力が激しさを増した。孤立社会では、家庭内暴力の犠牲者は誰の助けも得られないことが判明した。貧困が増大し、社会格差が拡大した。とくに学校では、**理解のない家庭の子供、物質的に困窮状態にある家庭の子供、ＩＴ機器が整っていない家庭の子供は、六ヵ月間、教育の機会を奪われたことになる。これは決定的な遅れとなる。**

蔓延する政治不信

多くの政治指導者たちは、このパンデミックにより、経済だけでなく、それ以上に、政治、社会、倫理、イデオロギーに関する重大な危機が起こりつつあることにも気づいていなかった。

たしかに、彼らの多くは勤勉な人物だ。努力を惜しまずに国の舵取りを担い、自身の指導の下に国を団結させようとしてきた。感染するリスクを冒してまで働いている場合もあるが、これは多くの場合、献身というよりは勇気を誇示するための虚勢だろう。

しかしながら、彼らの大半は誤った判断を下した。また、行動に移すのが遅すぎた。事態に備えていなかったため、政策を吟味する時間を確保できなかった。一貫した見通しを練り上げなかった。他国の戦略から最適の方法を見出そうとしなかった。

国民は勘づき始めた。**指導者は、自分たちを守るためになすべきことをしかるべき時期に実行しなかったのではないか。**これらのいわゆる「立派な政治家〔仏：homme d'État、英：statesperson〕」たちは、長年にわたって決断できずに逡巡してきたのではないか。彼らは将来を予測できず、正しい政策を選ぶ手段を身につけてこなかったのではないか。彼らは、意志薄弱で、臆病で、悪い影響に流されやすく、政治的工作にどっぷりと浸かっているのではないか。彼らの大半は韓国型でなく中国型の戦略に追随するという誤った判断を下したのではないか。彼らの多くは国民に嘘をついたのではないか。彼らは避けることができたかもしれない拘束生活を国民に強いたのではないか。

死を悼む

そして、この陰鬱な時期にもよいニュースがあった。世界中で、これまで以上に多くの人々が覚醒したのだ。孤立社会はもはや持続的でないのではないか。パンデミックを口実に全体主義の社会へ、そしてこれまで以上に不当な扱いへと国民を導くのはおかしいのではないか。政治指導者の選出や政策決定の過程は完全に時代遅れなのではないか。死を語ることもできず、また語ろうともしない政治指導者に対する国民の怒りは煮えたぎっていた。

なぜなら、**いつの時代においても権力の源泉は、安全の追求に次いで、死に対する恐怖にある**からだ。政治と国民の関係の基盤、あるいはその根底にあるのは、死を悼む儀式だ。〔犠牲者の急増、二次感染への不安、犠牲者や家族への偏見などにより〕その儀式が維持できなくなったのだ。

この危機が発生して以来、政治討論の場で国民の死が語られることはないとしても、非常に多くの国において政治不信を招いたのは、こうした政治家の態度が原因だと私は睨んでいる。だからこそ、ますます多くの人々がよき人生のあり方を新たに形づくるために己の死を自分自身で管理しようとしているのだ。

安全と引き換えの隷属は拒む

自由民主主義に反対する者たちは、政府の危機管理がまったく冴えないこの現状を、政府の形態に問題があることの証拠だと捉えた。リスクに対応できず、長期的な展望を見出せず、国民を守ることができないのは、政府の形態が力を発揮できない構造になっているせいだと考えたのである。彼らは即座に、安全は究極の価値であり、安全を確保するためには個人の自由と権利を最優先することは断念すべきだと説いた。彼らは、過剰な国境開放と市場の過度な相互依存が表象するこの恒常的な脅威と戦う必要があると語り、政党政治や代表民主制などの古臭い形態は廃止すべきだと主張した。

彼らが議論の下敷きにしたのは、安全を理由にきわめて統制的な手法を徹底的に課し、追跡と位置情報収集のテクノロジーを導入した国々の成功例だ。彼らは超監視型社会と自己監視型社会へのこうした急速な移行を称賛した。私はかなり以前から、超監視型社会と自己監視型社会の到来は避けがたいと警鐘を鳴らしてきた。

彼らは、今回の危機に最も効果的に対処した国々は、強力な権限をもつ当局に全権を委譲したと指摘する。先ほど述べたように、民主国である韓国においても、警察と司法に関する今回の危機管理についての全権を韓国疾病管理本部（ＫＣＤＣ）に委譲した。

全体主義の萌芽

統制的な手法を求める人々は、嬉々として、今回最もうまく立ち回ったのは、自主防衛システムを構築することに成功した、規模の小さい国々や地域の政府だと指摘する。それは、韓国、台湾、香港、ブータン、オーストリア、ギリシア、モロッコであり、ニュージーランドに至っては国境を「当分の間」閉鎖すると宣言していた。

このように指摘する人々がとくに強い調子で糾弾するのは、彼らが呼ぶところのヨーロッパの政府機関の機能不全であり、彼らは「真実」を握っているのは専門家でも既存の機関でもないと強調する。

実際に、世界中において、これほど多くの専門家、あるいは自称専門家たちが、断定的で矛盾した発言を繰り返したのは、これまでにないことだった。法治国家がこれほど後退したのは前例のないことだった。権力者たちは、パンデミックによって公衆衛生上の追跡が可能になったことに便乗して、人々にあらゆる質問をし、そのすべてに回答せよと要求する。

世論を厳しく監視する中国共産党

近年になってようやく厳格な統制を緩め始めた様子の中国独裁政権にとって、中国共産党は強力な武器である。その中国共産党は、世論を今まで以上に厳しく監視している。

二〇一九年一二月以降、とくにメッセンジャーアプリのウィーチャットにおいては「異分子」を見つけるための厳しい監視が行われており、パンデミックへの対応に関する情報を共有する者、批判的な意見を述べようとする者などが追跡されている。その証拠に、**四五〇人以上が中国の公衆衛生に関する情報を発信した後に姿を消した。**

現在、中国共産党の幹部は、きわめて高度なオンライン研修を受けている。国民全員が利用できるこの研修の目的は、あらゆる側面から国民の私生活を管理するうえでの中国共産党の役割を強化することにある。

「国進民退」というスローガン（直訳すると、「国は前進、国民は後退」）とともに、経済における国の存在感はこれまで以上に増した。国営企業は、低金利の融資、電気代の値下げ、公共事業の受注によって優遇されるのだ。すべては危機によって必要性の高まったマスクや検出用キットなど、中国でもいまだに著しく不足する製品を生産するためである。

パンデミックに便乗する独裁勢力

フィリピン議会は、非常時におけるドゥテルテ大統領の権限を強化した。ドゥテルテ大統領は、隔離措置に従わない人物やデマを流布する人物（その判断は大統領が行う）を厳罰に処すと表明した。

カンボジアでは四月に発令された非常事態の宣言により、国民の権利は著しく制限され、カンボジア政府はソーシャルネットワーク上の情報を管理検閲し、電話でのプライベートな会話を盗聴できるようになった。

タイの首相は、夜間外出禁止令を発令する権限を手中に収め、メディアで自身を批判する人物を告訴できるようになった。

イスラエルの首相は諜報機関に対し、テロ対策のために開発されたデータ処理技術を利用して国民の移動を追跡し、自宅待機の指示に従わない者は六ヵ月以内の禁固刑に処すと宣言した。

ハンガリーでは非常事態宣言を無期限に延長できるようになったため、政府は緊急措置の法律の施行を延長したり、議会で審議することなく政令によって新たな法律を導入したりできるようになった。ハンガリー政府が「フェイクニュース」と見なせば、その情報を流したジャーナリストは五年以下の禁固刑に処せられるようになったため、報道の自由は制限された。

一時的な措置が恒久化する恐れ

フランスをはじめとする民主国では、人々の基本的な権利と報道の自由はまだ尊重されているが、それでも、議会での本格的な討論なしに数多くのきわめて強権的な決定が下された。たとえば、国境の閉鎖、ＩＴ技術の利用による健康状態の監視、カルテの開示、外出許可証の携帯制度、移動距離の制限、家族との面会禁止、葬儀への参列禁止などだ。

世界中で、これらの措置の一部は一時的なものとされているが、おそらくそうはならないだろう。**こうした社会的麻痺状態のおもな被害者は、女性と子供だ。家庭内暴力の増加、避妊手段の利用の制約、減少傾向にあった女性器切除や児童労働の再増加、**そして、**報道の自由、教育を受ける権利、裁判を受ける権利、法廷を傍聴する権利などの制限**である。

国際情勢への無関心

また、アジアがサイクロンの時期に入ると、この社会的麻痺状態は**悲惨な自然災害に対する無関心**となって表れた。二〇二〇年一月以降、インドネシアでは大洪水が続発しているが、誰も関心をもたない。スリランカでは五〇万人が干ばつに苦しむ一方で、四月六日、サイクロン「ハロルド」によって、バヌアツのサンマ州（州都はルーガンビル）の住宅の八〇～九〇％と学校の六〇％が破壊されたが、世界でこの大災害に関心をもつ者はほとんどいなかった。結局、バヌアツ国民の半分が避難所での生活を余儀なくされた。

窮地に陥る代議制民主主義

さらには、パンデミックにより、代議制民主主義の根幹となる手続きが複雑になった。**とくに、選挙活動、選挙、議員全員が参加する形での議会運営はきわめて難しくなった。したがって、独裁者が登場しやすくなっている。**

少なくとも六六の国と地域では、今回の新型コロナウイルス感染症を理由に、国政選挙、地方選挙、国民投票などの実施がすでに延期された。しかしなお、二〇二〇年末までに、コートジボワール、ギニア、エジプト、ブルキナファソ、ガーナ、中央アフリカ共和国、エチオピア、アイスランド、ルーマニア、クロアチアなどで、大統領選や国民議会議員選挙の実施が予定されている。

選挙の実施を試みる強権政権もあった。ポーランド与党は郵便投票による大統領選を断行しようとしたが、郵便配達人が反対した〔また、野党だけでなく与党内部からも制度の不備に批判が出た〕ため、大統領選は無期延期になった。ちなみに、大統領の任期は二〇二〇年八月六日で切れる〔その後、六月二八日に投票所での投票が行われたが、当選に必要な票数を獲得した候補がおらず、七月に決選投票が行われることとなった。現大統領が僅差で勝利したが、選挙手続きの不手際などに抗議の声が出ている〕。

アメリカでは、〔共和党現政権に対抗する〕民主党内での大統領予備選挙や一一月の大統領選挙がもし行えず、二〇二一年一月末になってもそれらが実施されないと、アメリカは権力の真空状態になる。トランプ大統領の支持者たちは、事実上の任期延長というアイデアを喧伝している。

地政学上の危機：アメリカでも中国でもなく

今回のパンデミックでは、これまでと同様にモノよりもヒトに対して国境が閉鎖された。生産と需要が激減したため、世界貿易は停滞した。二〇二〇年の世界貿易額は一三％減から二〇％減になる見込みだ。**最も影響を受けるのは複雑なバリューチェーンをもつ産業（電子機器や自動車）だろう。**

さらに、今回の危機で致命的に不足した治療薬、マスク、検出用キット、人工呼吸器を巡る争奪戦が尾を引いている。

戦略的なテクノロジーや物資の輸出禁止措置が相次ぐだろう。どの国も自国企業の所有権を保護し、生産拠点を本国に戻そうと模索する。**他国に依存しないために、輸入品を代替できる素材や部品など、国内生産による解決策を見つけることが奨励されるだろう。**

こうした動きは中国に対してだけではなかった。たとえば、アメリカ当局は、世界最大の電子チップメーカーである台湾積体電路製造（ＴＳＭＣ）が、世界最速の半導体を製造するわずか三社のうちの一社でもあることに注目し、この台湾企業に対してアメリカに工場を建てるように要請した。こうしてアリゾナ州に総工費およそ一二〇億ドルの工場が新設されることになった。

保護主義への回帰は衰退への道

国の主権は、国民の生命を守るうえで重要な要素の一つだと見なされるようになるだろう。主権を保てれば安泰に暮らせ、他国に依存すれば他国の過ちによって死ぬ恐れがあるという考えからだ。

こうした考えが登場したのは今回が初めてではない。歴史を振り返ると、パンデミックが原因となることもあったが、それよりも一貫していたのは、**戦争が起きるたびに徹底した保護主義が導入されたことだ。回を重ねるごとに悲惨な結果がもたらされ、ほとんどの場合、覇権国は表舞台から消える。**紀元前五世紀の古代ギリシア、六世紀の古代ローマ、一四世紀の封建社会、一七世紀のジェノヴァとフィレンツェ、一八世紀末のアムステルダム、二〇世紀初頭のイギリスは、パンデミック後、まさにそうした道のりを歩んで没落した。

超大国になるのは中国か？

今日、多くの人々は、今回の危機によってアメリカの覇権は幕を下ろし、アメリカに代わって中国が覇権国になると考える。

だが、私はそうは思わない。**反対に、今回の危機により、両国が衰退し、覇権国なき世界に向かう変化が加速する**と考える。行き着く先は、どんな帝国に支配されるよりも危険な世界だろうか。ヨーロッパが自由、力、豊かさを実現する機会を取り戻す世界だろうか。

ある国が地政学的に世界を統治するのは、その国が世界を経済面で、とりわけ、自国通貨や未来のテクノロジーなどによって支配するときだ。また、軍事と外交の面で巨大になり、イデオロギーと文化の面で世界に多大な影響力をもつ必要もある。地政学的な支配をこのように定義すると、多くの人々は、まもなくアメリカに代わって中国が世界を支配するに違いないと結論する。

中国はすでに大国であり、危機後もいっそうその力を増すことは明白だ。就業人口に関していえば、中国の八億人はＯＥＣＤ諸国全体よりも多い。中国は世界全体の工業製品に

郵便はがき

おそれいりますが
63円切手を
お貼りください。

1028641

東京都千代田区平河町2-16-1
平河町森タワー13階

プレジデント社
書籍編集部 行

フリガナ		生年（西暦） 年	
氏　　名		男・女	歳
住　　所	〒 TEL　　　（　　　）		
メールアドレス			
職業または 学校名			

ご記入いただいた個人情報につきましては、アンケート集計、事務連絡や弊社サービスに関するお知らせに利用させていただきます。法令に基づく場合を除き、ご本人の同意を得ることなく他に利用または提供することはありません。個人情報の開示・訂正・削除等についてはお客様相談窓口までお問い合わせください。以上にご同意の上、ご送付ください。
<お客様相談窓口>経営企画本部 TEL03-3237-3731
株式会社プレジデント社　個人情報保護管理者　経営企画本部長

この度はご購読ありがとうございます。アンケートにご協力ください。

本のタイトル

●ご購入のきっかけは何ですか?(○をお付けください。複数回答可)

1 タイトル　2 著者　3 内容・テーマ　4 帯のコピー
5 デザイン　6 人の勧め　7 インターネット
8 新聞・雑誌の広告(紙・誌名　　　　　)
9 新聞・雑誌の書評や記事(紙・誌名　　　　　)
10 その他(　　　　　)

●本書を購入した書店をお教えください。

書店名／　　　　　(所在地　　　　　)

●本書のご感想やご意見をお聞かせください。

●最近面白かった本、あるいは座右の一冊があればお教えください。

●今後お読みになりたいテーマや著者など、自由にお書きください。

どうもありがとうございました。

占める付加価値の二五％をすでに生み出している。繊維は四〇％、工作機械は二八％、化学薬品関連では世界生産の一六％であり、イブプロフェン〔非ステロイド系消炎鎮痛剤〕は五〇％、アセトアミノフェン〔解熱鎮痛剤〕は六〇％、ペニシリンは九〇％だ。中国は人工知能（ＡＩ）関連のイノベーションでも圧倒的に優位な立場にあり、毎年、ヨーロッパよりも多くのエンジニアを輩出している。中国の体制は安定的に思える。中国共産党は国民に対して絶大な影響力を行使している。さらに、中国の軍事費はすでにアメリカの四分の三に達している。二〇二五年にはインド太平洋における中国の軍事力はアメリカを上回るだろう。デジタル戦争についても、中国はロシアと軍事同盟を結んで充実した戦力を確保した模様だ。

中国が世界におよぼす影響力は増している。中国の実力主義に基づくモデルの効率性が人々をますます魅了し、追従者を集めている。中国の外貨準備と金準備はおよそ三兆ドルだ。中国通貨の人民元は、国際貿易、とりわけ増加する石油取引などにおいて利用され始めた。中国は自国の仮想通貨を二一世紀の国際貿易における基軸通貨にしようとさえ夢見ている。中国はアフリカの債務の二〇％を保有することにより、とくにアフリカでの存在感を高めている。各種国際機関においても、中国の存在感はきわめて高い一方で、アメリカの存在感は薄れている。たとえば、国連食糧農業機関（ＦＡＯ）、国際電気通信連合（Ｉ

TU)、国連工業開発機関(UNIDO)、国際民間航空機関(ICAO)など、国連の専門機関では中国の高級官僚が幹部を務めている。

最後に、中国はパンデミックに効果的に対応した模範例として国内外で評判になっている。ヨーロッパよりも中国のほうが死亡者の数が少なかったという事実(これは確実な嘘だ)が、充実した医療制度、効率的な政府、自国指導者に対する国民の信頼を物語っているという。中国政府は自国のイメージをさらに高めるため、ささやかな医療物資をほぼ世界中の国々に提供した。この支援外交はヨーロッパに対しても行われた。たとえば、二〇二〇年三月一三日、中国赤十字のチャーター便は、医療支援者、二〇万枚のマスク、人工呼吸器〔一〇〇〇台〕をローマに運んだ。

これは単なるジェスチャーであり、宣伝に過ぎない。同様に、アリババ財団〔中国の電子商取引大手、アリババグループとその創業者、ジャック・マーが設立〕は二月以降、ヨーロッパ、アメリカ、アフリカに数百万枚のマスクと数百万回分の検出用キットを寄付した。

西洋諸国に対する中国の暴言はとどまるところを知らない。三月一三日、中国の日刊紙『環球時報』は、中国共産党の機関紙『人民日報』の了承を得て、アメリカとヨーロッパには新型コロナウイルス感染症を収束させる能力がないという辛辣な社説を掲載した。しかしながら、中国がパンデミックにどう対応したかは、すでに述べた通りだ。

アメリカは衰退の一途を辿るのか？

それに対し、アメリカは金融、社会、政治の面において重大な危機に直面し、足元がぐらついているようだ。

第一に、連邦政府ならびに州政府のパンデミックへの惨憺たる対応は、深刻な危機への対応における現在のアメリカの無能ぶりを如実に表している。加えて、アメリカ社会は、人種差別に対して法律および経済の面で制度的に対応できない。その例証として、警察官による不適切な拘束によってアフリカ系アメリカ人のジョージ・フロイドが死亡した五月二五日の事件を受け、警察の人種差別に基づく暴力に対する大規模なデモが発生したことが挙げられる。

第二に、対外債務、公的債務、民間債務、貧弱なインフラ、薬物と砂糖によって蝕まれた国民の悲惨な健康状態、横行する暴力、殺傷能力の高い武器の自由な販売は、アメリカ凋落の兆候といえよう。さらには、アメリカがさまざまな国際機関から計画的に脱退するのとは反対に、中国はその空白を埋め、国際機関での影響力を高めようと尽力している。

このような分析からは、中国はまもなく世界唯一の超大国になり、二一世紀は中国の時代になると考えたくなる。これは、数年前からアジアのメディアや多くの識者たちが繰り返し喧伝してきたことでもある。二〇二〇年四月以降、中国が超大国になると予測する人はさらに増えている。

しかしながら、この見通しはかなり怪しい。

一党独裁体制はいずれ行き詰まる

中国のGDPはいまだアメリカの三分の二に過ぎず、一人当たりに換算するとアメリカの三分の一にも満たない。中国は自国の農業で国民を養うことができず、アジア、アフリカ、中南米から食糧を輸入しなければならない。食糧を自給できない国は多くの恐喝や脅迫を受ける恐れがある。

長期的に見れば、中国式の監視型強権政治モデルはやがて行き詰まる。これまでにも世界でほぼすべての一党独裁体制が瓦解したように、**中国でもより大きな自治と自由を求める中間層の反乱により、一党独裁体制はいずれ打破されるだろう。**いまだかつて、自由民主制、あるいは少なくとも政治指導者層の内部で異論を唱えられる環境なしに、超大国の座を維持できた国家はなかった。ゴルバチョフが登場するまでのソ連、そして今日の中国がまさにそうだ。

先ほど述べたように、今回のパンデミックへの対応の不始末のおもな原因までもが、ここに端を発している。中国は情報を隠蔽し、自分自身に嘘をつき、パンデミックに警戒を促した自国民を投獄した（彼らの忠告に耳を傾ければ、よりよい対応ができたはずだ）。都市封鎖以外の選択肢を失い、さらには、全世界に感染を広げた末に、自国のパンデミックへの対応は世界の模範になると豪語した。その対応の有効性を自慢する議論には説得力がない。説得力をもつことなどあり得ない。自国民にすべての情報を隠しておきながらパンデミックにうまく対応できるわけがないからだ。

中国を悩ませる永遠のジレンマとは、民主化すればペレストロイカ期のソ連のように自国が分裂する恐れがあり、民主化しなければ破綻へと突き進むことだ。

過大評価されている中国

さらに、中国の現状の軍事力は非常に過大評価されている。中国には空母が二隻しかなく、国外の軍事基地は二つしかない（ジブチとミャンマー）。そして、中国は近隣諸国から批判にさらされている。中国の周囲は皆、アメリカの同盟国ばかりなのだ。

これらの中国の弱点に対し、今後しばらくの間、アメリカは世界の経済と軍事の面で他を圧倒する世界最大の国であり続けるだろう。

アメリカは未来のテクノロジーも支配する。この分野では、ＧＡＦＡＭ（グーグル、アップル、フェイスブック、アマゾン、マイクロソフト）の五社を筆頭とするアメリカ企業が世界市場に君臨している。これらの企業は今後もおおむねアメリカ政府の指示に従うはずだ。メディア、映画、テレビゲーム、電子商取引サイト、オンライン動画プラットフォームなど、アメリカのソフトパワーは日々増大し続ける。米ドルは世界の基軸通貨であり続ける。七〇億人以上が米ドルを準備通貨や決済通貨として利用しているため、アメリカはほぼ無限の通貨発行権をもつ。アメリカはこの通貨発行権をイランやロシアに対する外交や制裁の手段としても利用する。アメリカはヨーロッパにおいてアメリカの法律の治外法権を課すことさえできるようになった。

戦闘機、潜水艦、弾道ミサイル、核兵器、デジタル監視体制など、アメリカの軍事力は他国の追随を許さない。こうした軍事力に加え、四五ヵ国に軍事基地をもつ。さらに、韓国、日本、オーストラリアなどの強力な同盟国を頼りにすることもできる。もちろん、ヨーロッパ諸国もだ。

今日、軍事では、ヨーロッパでさえ中国を何らかの形で上回っている。フランスはアフリカに五つの常駐基地をもち、五つの大陸で軍事活動を行っている。フランスは独自の核軍事力を保有する。

理想の社会像となり得るEU

世界はＥＵを中国やアメリカよりも優れた社会像と見なすようになるのではないか。ＥＵの社会保障は充実している。生活水準は世界一だ。ＥＵは民主国だけの集まりであり、世界に対して大きな影響力をもつ。批判者たちが何と言おうと、ＥＵの結束力は危機時にさらに強固になる。先ほど述べたように、ＥＵは経済および社会に関する共通の活動を強化するため、数多くの決定を下してきた。そして単一通貨ユーロは、さまざまな攻撃に遭いながらも、信頼性の高い世界的な準備通貨としての地位を揺るぎないものにしている。

したがって、アメリカに代わって中国が覇権国になるという保証はまったくない。むしろ**今回の危機によって両国が衰退すると見たほうがよい**のではないか。

一触即発の米中関係：EUの使命

アメリカと中国、両国の衰退により、よりよい世界が訪れるという確約はない。むしろ正反対のことが起きるはずだ。第一の理由として、アメリカと中国という二つの大国が衰退するのはきわめて危険だからだ。両国は経済だけでなく、さまざまな問題で激しく対立するだろう。戦争さえ勃発するかもしれない。必ずしも両国の確固たる意志に基づいて戦うのでも、二国間で直接戦うのでもない。**中国の海域やペルシア湾でのちょっとした諍いが戦争に発展する可能性がある**のだ。そうした戦いでは、ロシアやイランも関与するに違いない。また、国境線を巡ってインドと紛争になる恐れもある〔原書出版後の六月中旬に衝突が起き、数十名の死亡者が出た〕。インドもまた、二一世紀後半に超大国になる可能性がある。

さらに、こうした国々が一触即発の状態にあっても、国際機関が仲裁に入ることはできないだろう。パンデミックが発生したとき、国連安全保障理事会は、一部の理事国の機材が揃わなかったため、テレビ会議を開くのに一ヵ月もかかったという。しかも、それは意味のない発表をするためのつまらない会合だった。それでも五ヵ国の常任理事国のトップ会合くらいは開いてほしかったところだ。現在のところ、財務大臣・保健大臣合同セッションを企画するG20だけが、この状況下で意義のある会合といえる。

二つの大国の衰退を利用してヨーロッパが結束力を強めることに成功すれば、輝かしい未来が開けるだろう。だが、その成功の可能性はまったく不確実だ。ヨーロッパの輝かしい未来を確約するには、ヨーロッパがこれまで以上に頑強で民主的な行政機関と、「命の経済」という優先分野に向けた大型投資ファンドを創設する必要がある。「命の経済」については、後ほどじっくり語る。

巨大企業対国家

大国でさえ衰退する国家の弱体化は、巨大企業が権力を握る過程を加速させるだろう。巨大企業は政治力を増し、国の課す規制や税制をこれまで以上に回避するようになるに違いない。こうした傾向はとくに西側諸国の大企業の間で顕著になるだろう。一方、中国の大企業は今後も中国共産党および自国の政治指導者に対してきわめて従順だろう。

さらに、金融市場も同様の見通しを示す。金融市場はアメリカの大企業の資産価値をこれまでになく高く評価しており、先述のGAFAMだけでなく、アメリカの大企業は政治の介入に対して頑強性を高めていると考えられている。〔アメリカの大型株五〇〇銘柄による株価指数「S&P500」にならって〕「S&P5」とでも呼ぶべき**アメリカの上位五社の株式時価総額は、現在、世界第三位の経済大国である日本のGDPに匹敵する。**

パンデミックでさらに巨大化するGAFAM

今回の危機において、とくに業績を伸ばしたのはGAFAMだ。アマゾンの二〇二〇年第1四半期の売り上げは二六％増だった。第2四半期は一八％から二八％ほどの増加が見込まれている〔その一方、従業員の安全対策のため損益は赤字となる見込み〕。三月以降、アマゾンは新たに一七万五〇〇〇人以上を雇用した模様だ。二〇二〇年の売上高は二〇％増の三三五〇億ドルに達する可能性があるという。

アマゾンは現在、実店舗をもつ書店、調理済み食品、音声・映像コンテンツ、音楽配信、携帯電話、ヘルスケア、宅配、クラウドコンピューティングの分野で活動する。現在のところ、**アマゾンのクラウド部門「アマゾン・ウェブ・サービス」はグループ内でも群を抜く稼ぎ頭だ。**世界各地に一二〇のデータベース・センターを保有し、オンライン・データの蓄積量で世界一となっている。また、「アマゾン・ケア」は医療分野のスタートアップ企業数社を買収した（例：オンライン医療サービスを提供するヘルス・ナビゲーター社、処方薬のオンライン薬局であるピルパック社）。イギリス政府が国民に新型コロナウイルスの検出用キットを提供しようと計画した際、その流通を請け負ったのはアマゾンだ。アマゾンは少なくとも三五〇万回分の簡易検出用キットをイギリス国内の数万の世帯と薬局に配送するという。

アップルとグーグルは、今回の新型コロナウイルス感染症の感染者を追跡できるアプリを共同開発した。大手コンサルティング企業のプライスウォーターハウスクーパース（ＰｗＣ）も「コンタクト・トレーシング（接触追跡）」を行うアプリ（「Check-In」）を開発している。このアプリを利用すれば、企業幹部は新型コロナウイルスの検査で陽性が判明した同僚に接触した従業員へ、その旨を通知できるという。韓国の複合企業ハンファ社の子会社は、体温を感知するカメラを発売予定だ。

政治を動かす巨大企業

さらに、GAFAM各社は自分たちの企業活動を拘束する法律を遵守しない。ヨーロッパでは二〇一六年以降、「EU一般データ保護規則（GDPR）」によって全ヨーロッパ市民の情報が保護されることになったが、GAFAMはこの規則を遵守せず、扱いに注意を要する消費者の情報（とりわけ、個人の健康状態に関する情報）の利用に関して、消費者に充分な説明に基づいた選択肢を提示していない。これらの企業は、特定の政治候補者に有利になるメッセージを選りすぐり、また各国政府に対するロビー活動に莫大な資金を投じるという政治的な目的のために消費者の個人情報を利用している。

現在のところ、これらの企業は各国共通の最低法人税率（一二・五％）の導入を阻止している。仮に、この税率が適用されれば世界全体で税収が一〇〇〇億ドル程度増加するという。

二〇一七年、デンマークがGAFAM担当大使を任命したように、**一部の国はGAFAMを国家と同等の立場にまで引き上げている。**GAFAMの創業者である大株主の一部も、個人あるいは財団を通じて影響力のある政治活動家と見なされるようになった。ビル＆メリンダ・ゲイツ財団は、国を除くと世界保健機構（ＷＨＯ）への最大の寄付者（国を含めた全拠出元のなかでもアメリカに次いで二位）であり、予防接種プログラムの拡大を目指す「ＧＡＶＩアライアンス（旧・ワクチンと予防接種のための世界同盟）」の創設パートナーにさえなった。マーク・ザッカーバーグは、医療、教育、科学研究、エネルギーの分野での機会の平等を推進する活動に従事している。これらの慈善事業は、完全な利他主義に基づく場合もあれば、自社の売り上げを伸ばすための場合もある。たとえば、フェイスブックはＷＨＯに広告枠を無料で提供することによって、ＷＨＯがフェイスブックを利用するように仕向けている。

ＧＡＦＡＭに相当する中国企業も、ＧＡＦＡＭを上回る演算能力や人工知能に関する知識、そして巨大な中国市場という活動領域を活かして同等の力をつけた。現在のところ、これらの中国企業は中国共産党と国に忠誠を誓っている。

いずれにせよ、これらの企業が生み出すものこそが、われわれを待ち受ける挑戦だ。すなわち、人工物が支配する世界である。

人工物によって支配される人類

現在の危機が発生したきっかけは間違いなく、自然への敬意を欠いたことにある。野生動物や絶滅危惧種の生物を食べたからだ。また、現在の危機は、人類のあらゆる活動を人工物へと徐々に変化させてきた動きが加速した証でもある。互いに疎遠になった人類は、自分たちが機械を操る側だと信じながら、反対に、どんどん機械の付属品のような存在になり下がっている。

かなり以前から、人類は自身の複数の側面を徐々に人工物に置き換え、これらを道具として利用してきた。

現在の危機では、これまでほとんど利用してこなかった学習と治療などの領域においても、人類は人工物を利用し始めた。

人間は、道具が増えるのだから、より自由になれると考える。ところが現実には、人間は自身の能力を補ってくれる人工装具を増やすほど、その人工装具が発する命令に従うようになる。多くの人々は、自分が携帯電話、コンピュータ、自分たちを追跡あるいは検査するアプリが指示することしか行っていないと気づき始めている。そして、自分たちがこれらの人工装具が伝えてくる認識にしか喜びや満足感を覚えることができない存在になり下がりつつあると悟り始めている。ところが、われわれが人工装具を利用する目的は、他者に自分の存在価値を認めてもらえると期待しながら自身の孤独感を紛らわせることだけだ。その他者も同様に孤独なのである。

現在の危機は、こうした進化を加速させながら人工化の領域を広げている。そしてこの人工化が環境におよぼす影響はきわめて深刻である。

今こそ気候変動を真剣に考えるべきである

今回のパンデミックは、長期的な問題を先送りすると、その準備不足により高い代償を支払うことになると思い出させてくれる機会でもある。これは気候変動にも当てはまる。今回の危機はその事実に気づく機会だ。

変化し始めた人々の価値観

まずわれわれは、今回の危機で便利な習慣を身につけた。多くの会議は遠隔で実施できること、自動車の利用は減らせること、自転車の利用は増やせることに気づいたのだ。一部の人々は、過剰にぜいたくなモノを買うことは人生の目的ではないと考えるようになった。モノを買うために働くのではなく、何か別のことに時間を費やすという、これまでよりもはるかにささやかな生活モデルこそが、より大きな幸せの源泉になると考えるようになったのだ。

経済成長を断念すべきなのか?

今回の危機は、**景気後退自体は気候変動の解決策にはならない**ことを示す機会でもある。今世紀末までに〔産業革命以前に比べての〕気温上昇を一・五℃未満に抑えるというパリ協定が定めた目標を達成するには、温室効果ガスの排出量を二〇二〇年から二〇三〇年にかけて前年比で七・六%ずつ減らす必要がある。二〇二〇年の減少率は、大幅な景気後退によってこの目標値とほぼ等しくなる見込みだ。二酸化炭素排出量は、二〇二〇年（通年）で五・五％減（イギリスのシンクタンク「カーボン・ブリーフ」の見通し）から八％減（国際エネルギー機関の見通し）だという。したがって、景気後退によって気候変動の目的を達成するには、世界のGDPを毎年、二〇二〇年と同様のペースで減少させなければならない。しかしながら、そのようなことをすれば、失業が蔓延し、生活は破壊されてしまう。これでは本末転倒だ。

よって、経済成長を停止させることは地球温暖化を食い止めるための解決策ではない。**景気を後退させるのではなく、これまでとは別のやり方で違うモノをつくり出す**など、他の方法をとる必要がある。

優先すべきは不況との戦いであって、地球温暖化対策は二の次だと考える人々も大勢いる。とくに、パリ協定の目標に疑問を呈し、安価になった化石エネルギーを大量に利用し続けることを提唱する意見がある。たとえば、中国はこれまでにない大規模な石炭採掘に基づく景気対策を発表した。また、アメリカ環境保護庁（EPA）は、これまで、自国の乗用車と小型トラックの燃費基準を毎年五％改善させる計画をとっていたのを、二〇二六年までの間に毎年一・五％の改善を行う規則に緩和した。

中国やアメリカとは反対に、EUは現在から二〇五〇年までに域内の二酸化炭素の排出量を実質的にゼロにする「カーボンニュートラル」に取り組み、二〇三〇年の排出量削減の目標を引き上げるとさえ宣言した。

人類を脅かす無数の脅威

今回の危機をきっかけに熟考すべき問題は、気候変動だけではないだろう。大気中の二酸化炭素濃度や都市部での自転車の利用も重要だが、環境問題の争点は多岐にわたる。**海洋汚染、集約的な農業、生物多様性、貧困、飢餓、**（とくに女性に対する）**教育機会の欠如、社会的弱者に対する暴力**など、人類を脅かす危機は多い。

第五章
最悪から最良の部分を引き出す

嵐のような事態が展開したこの数ヵ月の間、狭い部屋に閉じ込められていた人々もいた。そんな今回の異常事態から導き出される、**記憶に残すべき未来への教訓**とは何か。このパンデミックとともに生き、暮らした経験から得られる、自分自身、そして他者への教訓とは何か。

だが、そもそもわれわれは誰の生命について語っているのか。自分たち自身の命だろうか。近しい人々の命だろうか。恵まれない人々の命だろうか。それとも、今日の人類、未来の人類、あるいは、生きとし生けるものすべての命だろうか。

その答えはもちろん、**今日と未来のすべての命**だ。なぜなら、世界のどこで暮らそうが、またどれだけ金や権力をもとうが、中国の不衛生な生鮮市場やバングラデシュでの児童虐待から生じる影響からは誰も逃れられないからだ。今日と未来のすべての命について熟考しなければ、世界全体は深刻な脅威にさらされることになる。

だからこそ、われわれは地球のどこで暮らそうが、まずはこの特殊な時期からあらゆる教訓を導き出す必要がある。個人、そして集団として、われわれが各自、そして全員についで学ぶためである。

深まる孤独

各自の生活様式はこの衝撃的な数カ月で大きく様変わりするだろう。人々は自己の社会的、経済的、地理的な状況、そして性別や立場により、自分自身、そして他者に関する数多くのことを、違った形で発見していることだろう。

これまでにない緩やかな時間、自ら選んだ孤独、移動続きの暮らしの一時休止、近親者との充実したひと時を満喫できた人たちがいた（私自身もその一人だ）。

自宅で快適な隔離生活を送れる人は、感染や失業を心配しながら無防備で働き続けざる

を得なかった人と同じ不安を味わわずに済むことになるだろう（後者の人々は、感染リスクのある公共交通機関を使い、しばしば遠い郊外から通勤する）。前者と後者では孤独が意味するものは大きく異なるはずだ。**私は、前者の人々が、後者の人々の社会的貢献に対してこれまで以上に感謝するようになることを願っている。**

人類と孤独

人類史において、孤独は古くからの深遠な欲動だ。

大半の宗教では、孤独は神に歩み寄るための希求である。ブレーズ・パスカルやバールーフ・デ・スピノザなどの隠遁者や賢者の間では、多くの者が孤独を通じて神に迫ることを試みている。

ロマン派は、孤独を世界の中に身を置き、自然界に溶け込むための手段の一つと捉える。イギリスの作家ロバート・ルイス・スティーヴンソンは、孤独は人間を「風が奏でるフルート」に変えると語る。そうした孤独はのちに、荒野での暮らしや一匹狼のカウボーイに感じる魅力にも見出されるようになる。今日、都市部で暮らす人々は**自分たちを群衆から孤立させる活動**のなかに孤独を求める。たとえば、森の中の散歩、山歩き、ヨガ、セーリング、瞑想などである。さらには、一人で遊ぶゲームやクロスワードパズルもそうだ。

「孤独という伝染病」

孤独はこれまで以上に差し迫った現実だ。アメリカの総人口に占める独り暮らしの割合は、一九〇五年はわずか五%だったが、今日では四人に一人だ。イギリスでは三人に一人、フランスではもう少し多く、スウェーデンでは五〇%だ。また、刑務所、精神科病院、高齢者施設などで半ば強制的な孤独を強いられる人たちもいる。

若い世代はまったく別の形で孤独文化を形成する。パソコンや携帯電話の画面を眺め、ヘッドフォンを耳に当てた若者たちは、公共交通機関の混雑のなかでさえ独りだ。若い世代のなかには、そうした孤独を極限まで追い求め、友達、あるいは気持ちを分かち合える相手や恋人、性的関係を結ぶパートナーをつくらない者もいる。孤独でいたいという欲求が、子供をつくらないという考え（そうなれば人類は消滅する）や、性的な関係なく子供をもちたいという願い（この願いを叶えることは可能だ）にまで至ることさえ考えられる。これは「孤独権」を尊重すべきという理由から、今日よりもはるかに顕著な傾向になるかもしれない。

「孤独という伝染病」の症状は、死期が迫ってくると最悪期を迎える。ますます孤独に人生を終えるのだ。

都市封鎖期間中、すでに独り暮らしだった人々は、家族や友人との接触を絶たれ、孤独の最悪期を経験した。感染症に罹って命を落としたのなら、死に際まで孤独を味わったことになる。

近親者らと都市封鎖を経験した人たちの経験は異なっている。自宅待機という非日常的な生活によって、父親や母親のなかには子供たちの新たな面を見出すことのできた人々もいた。子供たちもまた、親たちの新たな面に触れた。一方、家族揃っての自宅待機を嫌がる親たちもいた。そうした親を持つ子供たちは苦しんだだろう。

自己と向き合う貴重な機会のはずが……

自宅待機は、往々にして古臭い習わしが甦る場でもあった。隔離生活の期間、子供の世話や教育の大部分は女性の手によって担われ、家事と買い出しも、おもに女性が行った。

しかるべき生活条件で自宅待機していた人々は全員、働く以外の時間には、読みたかった本を手に取り、聴きたかった音楽に耳を傾け、外国語を学び、楽器の練習をし、自己を省み、危機後に訪れると思われるまったく新たな世界に備えることができた（あるいは、できたはずだ）。

誰もがこの課せられた休息、またとないひと時を、習慣から解放されて別の存在になる、つまり、「自己になる」ために利用できたはずだ。

だが、そのように過ごした人はほとんどいなかった。多くの人々は必死に孤独から逃れようとしただけだった。彼らは、他者とつながり、情報を得、近況を報告し合い、気分転換するために、デジタルテクノロジーを利用した。誰もが近況を報告したり、疎遠だった友人に連絡をとったりする時間をかつてないほどたっぷりともつつもりでいた。

テレワークで働く人々のなかには、仕事によって私的な暮らしの時間が侵食された人もいるだろう。労働法によって仕事上の電子メールに返答できる時間帯が定められているフランスのような国でも、仕事から抜け出せなくなったのだ。

このまたとないひと時に、まったく新しいことができた人はほとんどいなかった。

死を覆い隠す：気を紛らわせて生きる

自宅待機令発動中に起きている言語道断の出来事の一つは、近親者の臨終に立ち会えないことだ。この状況は今も続いている。一部の国では葬儀にさえ列席できない。このような事態が再び起きないように全力を尽くそうと誰もが心に誓っている。人間関係においてきわめて重要な瞬間である死に際が覆い隠されてしまわないように。

しかしながら、臨終に蓋をするこうした行為は、突発的な出来事、いわば人類史における挿話ではなく、眩暈を催す不可避の変容へと向かう一歩なのだ。将来、この変化は甚大な影響をもたらすだろう。

日常生活から締め出される死

死に意味を与えること、あるいは課すことができなければ、どんな社会構造も不適切であり持続不可能だ。これまで順に、宗教的、軍事的、社会的、医学的、科学的な意味が死に付与されてきた。だが今日、こうした説明は不充分になった。死の正体は生と同様、不可知の謎だと判明したのである。

また、死に意味を付すことの難しさ、そして死が意味をもたないと認めることのさらなる難しさを前に、われわれの社会はこっそりと少しずつ死を隠蔽するようになった。自宅で息を引き取ることはなくなり、人々は死者についても死についても語ることがなくなった。自身や他者の死について考えないために、死に際の光景を見ないために、高齢者施設で暮らす年長者の存在を忘れ去るために、ありとあらゆることが行われている。すべては、暮らしのなかでつねに気を紛らわせ、ほんのわずかな瞬間であっても、独りで思索に耽ることがないようにするためだ。

よって、自宅待機中に起きた出来事は、それまでの平和な暮らしを破壊する破廉恥な急変ではなく、以前から定着していた、死者と瀕死の者に蓋をするという行為の発展型なのだ。

こうした変化が確固たるものになってさらに進行すると、誰かが不治の病に罹ったと見なされるや否や、その人は孤立させられ、生者の世界から引き離され、プロの手引きによって死へと導かれることだろう。そして、この隠された死者たちが生者の迷惑にならないように、遺灰は火葬場で合葬されるようになるだろう。最初のうちはお参りに来る親族に門戸が開かれているが、最終的にそれもなくなるだろう。こうして、家族の崩壊、一刻も無駄にできないという強迫観念、利己主義、自己偏愛、過去への無関心が、絶頂に達するのだ。

ヴァーチャルに徘徊する死者

近親者の死に蓋をすることによって死を断固否定しながらも、彼らの生前の姿を残しておきたい人々を対象に、新たな市場が生まれるだろう（すでに出現しつつある）。亡き者のヴァーチャルな姿を生者に売りつけるのだ。死者との会話、写真、ビデオ、手紙のやりとりなどに蓄積されているデータを、今後さらに高性能になる人工知能（ＡＩ）が分析することによって、死者がメールに返信し、ソーシャルネットワークにメッセージを発信し続けることができるようになる。近い将来、亡き者はホログラムとなってヴァーチャルな暮らしを送るようにさえなって、生者の暮らしに加わることだろう。その実現は遠くない。初期のうちは生き写しとまではいかないかもしれないが、いずれ本物と見紛う人物として生者の日常生活に登場するようになる。

こうした技術に投資するのは、近親者の存在を残しておきたいと願う生者、あるいは死者たち自身かもしれない。後者の場合、自身のヴァーチャルな分身を死後に維持することだけが使命の財団に、遺産の大部分を寄贈する。

死後の管理業務は独自の大市場を形成するようになるだろう。亡き者の存在は商売のタネの一つになる。死後の世界を準備するためだけにこの世を過ごす者も現れる。彼らは自身のデータをホログラムに移し、エネルギーを浪費するだろう。

自身の亡霊の虜になってはいけない

これは悪夢だろうか。そうかもしれない。だが、現実の奥底に潜む見通しでもあることは間違いない。

このようなことなど起きるわけがないと考えるのは、死という現象に蓋をすることに等しく、この見通しが何をもたらすのかさえも否定することになる。そのような認識では、この悪夢の現実化を防ぐことはさらに難しくなる。

というのは、われわれ人間がどのような存在でありたいのかを見極める時期が訪れているからだ。この悪夢を拒否する時間はまだ残されている。われわれは、自身のホログラムよりも今この世で生きる自分たちの生を優先し、自己偏愛に満ちた幻想を拒否し、人類の希望を将来世代に伝えることを選ぶべきなのだ。

マスクの起源

すべての日用品には、歴史、系譜、存在理由がある。これらを探ることはこの上ない知的刺激に満ち溢れている。目立たない釘、やかましいトンカチ、巧みに書かれた本、忠実に仕事をこなす洗濯機、馬力のある自動車、魔法のような力でわれわれを魅了するコンピューターなどの歴史、系譜、存在理由は、多くの哲学者、歴史家、経済学者、社会学者よりも、われわれの社会について多くのことを物語る。

非常に古くからある日用品で、現在、再び脚光を浴びているのがマスクだ。

今日のマスクの存在意義を理解するには、他のモノの場合と同様、歴史を紐解く必要がある。歴史を振り返ると、マスクは、死、そして不死の探求を意味するモノの一例であり、典型だとわかる。

人間は互いを愛さないからこそ、新たな存在をつくり上げるため、自己を超越するため、他者になりすますためにマスクを着ける。他人を愛していないからこそ、存在する権利をもつ者、あるいは不死身となる権利をもつ者だけがマスクを着ける。マスクが存在するのは、人間としての顔があるときだけだ。

歴史上に存在した数々のマスク（仮面）

人類初のマスクは、エジプトのミイラの仮面だ。ミイラは仮面によって永遠への道のりを歩み始める。

次に登場するのは、アフリカの儀式で使われる仮面だ。このマスクの役割もまた、あの世とのつながりを生むことだ。だが、エジプトのミイラと異なり、アフリカの儀式で仮面を着けるのは死者でなく生者だ。マスクを着ける生者は、神や半神など、いずれも超人的な風貌を得て、多くの場合、踊る。太古の時代から長きにわたり、踊りに興じるのはマスクを被る者たちだけだった。

同時代に登場するユダヤの神、そして少し後に登場するイスラームの神は顔をもたない。

したがって、彼らは仮面を必要とせず、マスクを着けることを信者に禁じさえする。ときに顔を隠すよう促すことはあるが、決して顔つきを変えることはさせない。

儀式が影響力を失うと、マスクは古代ギリシアの劇場や日本の能など、演劇の場で用いられるようになる。こうして、普遍的な人物の特徴を偉大に見せ、ゆがめ、称揚するようになり、仮面を着ける人物の特徴は消え去る。フランス語の「人物（personnage）」や「人（personne）」という単語の語源は、古代ギリシア語で顔や仮面を意味する「プロソーポン（prosōpon）」だ。

次に、儀式におけるマスクの役割は、謝肉祭とともにさらに低下する。謝肉祭のつかの間、人々は人格を変え、別人になって自身の境遇や死の状況から逃れることができる。その後、個人はさらなる自由、自立、率直さを得るようになった。そして、自身の偶像に命を残そうとする最後の試みであるデスマスクが登場する。後に、南北戦争で志願看護師だったアメリカの偉大な詩人ウォルト・ホイットマンは、この「あらゆる物事のドラマ」であるデスマスクについて語る。

それから、個人主義の登場とともに、生を好み、死を拒絶する姿勢が生まれ、マスクは姿を消す。マスクは祭りの小道具に過ぎなくなる。少なくとも見かけの上では、本物であること、本当の姿のままでいることが規範になる。「見かけの上」というのは、実際にはマスクはまだ存在していたからだ。**マスクは、帽子、かつら、化粧、そして美容整形へと姿を変えた。これらもマスクと同様に死の否定を意味する。**

没個性の医療用マスク

一七世紀末以降のパンデミックの際に着用を課されたマスク〔「瘴気」を防ぐために薬草を詰めたくちばし状のマスク〕は、他の時代のどのマスクよりも死と密接なつながりをもつ。このマスクの目的も死期を遅らせることだ。このマスクも儀式を重んじる。それは司祭に代わって死とのつながりを司る新たな統率者である、医師が課す儀式だ。医師は率先してこのマスクを着用するようになった。

この医療用マスクは、われわれが装着する数多くのモノと同様、純然たる人工物である。生命に不可欠な、抽象的かつ官僚的で、画一的な防護具だ。それまでに存在したマスクと同様、人々の目には、医療用マスクは着用する者の個性を否定するように映る。しかし、過去のマスクとは異なり、医療用マスクを着用する者の人格が別の誰かのものへと取って代わられることはない。**マスクは差異でなく画一性を示すようになった。**医療用マスクを着用する他者は、識別できない不可知の人物でしかない。医療用マスクを着用すると、渋面や微笑みによって感情を伝えることができなくなる。目つきだけでは不充分だ。

自己の確立、そして「自己になる」ことに基づく個人主義的かつ民主的な社会において、没個性的な医療用マスクを着用することは耐え難い。他者になりたいと自ら夢見る場合であっても同様だ。さらに、われわれの世界観にとって、各人の個性を否定する社会に埋没することほど耐え難いものはないだろう。それは個人の消滅を容認する社会に他ならない。

生命は画一的なところには宿らない

医療用マスクを着用しなければならないこの時代、自己である権利を民主主義国家において守るには、医療用マスクによって自己が否定されないようにすることが必須だろう。その実現は可能であり、難しいことではない。かつてヴェネチアのパンデミック〔腺ペスト〕のときに行われたように、マスクに個性をもたせればよい〔華やかな仮面はヴェネチアの名物になった〕。

この点に関しては、男性よりも女性のほうがよく理解してきた。それは軽薄な理由からではない。一般的に男性よりも女性のほうが、**違いや識別のあるところにしか生命は宿らない**ことを心得ているからだ。

未来の企業像

世界のほとんどの地域では、人々は危機後も数世紀前から続く形態で働きたいと思っている。資本家は子供と女性を搾取し続け、過酷な労働条件を課し、労働者の命にまったく配慮しようとしないままだろう。

パンデミックを通じて、われわれはすべての生命が相互に依存していることを学んだ。今回の世界規模の危機が発生したのは、中国の武漢市の生鮮市場の衛生状態が劣悪だったからであり、また多くの野生動物の生息環境が破壊されたからだ。ようするに、**世界のどこであっても誰かが伝染病に感染しないことは、全員の利益なのだ。**

よって、収益の追求を最大の目標に掲げ続ける民間企業であっても、従業員の間で感染症が広がらないよう労働環境を改善し、従業員との関係性を再編することは、企業の利益につながる。作業現場での密集をなくし、「オープンスペース」を見直し、組み立てラインでの流れ作業を根本的につくり替え、さらなる予防策、衛生管理、検診、治療などを充実させて労働安全衛生を改善すべきだろう。たとえば、従業員は出社前に必ずあらゆる感染症の検査を受け、また自身の健康状態を全員に通知しなければならない、という法律を制定することも考えられる。**従業員は消費者と同様に、少なくとも自分たちの健康に深く関わることについては、取締役会の決定にもっと関与すべきだ。**

過小評価されている職業：看護師、清掃員、レジ係、教員

さらに、今回の危機により、一部の職業の重要性が、多くの人の間で認識されるようになるのではないか。たとえば、これまで注意を向けられてこなかった看護師、清掃員、レジ係などの職業だ。そして多くの親たちがようやく、学校の教師は苦労の絶えない職業だと気づくようになるのではないか。

人々がこうした認識をもち続けられるようにするには、**称賛したり感謝の念を示したり**

するだけでなく、これらの職業の賃金を上げ、労働の手段や環境を整備し、雇用を増やす必要があるだろう。こうした業務に従事しているのが公務員なら、さらなる税金を投入すべきだ。それは税金の使い道として申し分ない。民間の枠組みで運営されているのなら、これらの職業はすばらしい大市場をつくり出すだろう。これは企業と民間資本の双方にとって利益と成長の源泉になるはずだ。

定着するテレワーク

自宅待機時に幅広く導入されたテレワークは、重要性を増してより自然な労働形態になるだろう。

危機後も企業は従業員に対して、少なくとも一部の業務についてはテレワークの続行を奨励するだろう。アメリカでは、六〇%の職業は自宅で遂行可能だと見積もられている。デジタルインフラが整備されている国では、ほとんどのサービスが遠隔化可能であり、ほとんどの会合、会議、シンポジウムなどは、ヴァーチャルで開催できるだろう。

二〇三五年ごろには、一〇億人がノマド化し、自宅など、事務所以外の場所で働くようになるかもしれない。

このような傾向により、求人のあり方も変化するはずだ。アメリカでは、求人情報サイト「ZipRecruiter」が提供する仕事のうち在宅勤務が可能な仕事の割合は、二〇二〇年三月以前は一・三％に過ぎなかったが、二〇二〇年五月には一一％以上になった。

在宅勤務の割合が増えれば、事務所に必要な面積は大幅に縮小する。企業は地価の高い都市部のオフィス街に密集して活動する必要がなくなるので、**事務所面積の縮小傾向は加速する**はずだ。

質の高い交流の場をつくる

しかしながら、いくつか留保すべきことがある。顔の見えないヴァーチャルな社員が単に集まっただけでは企業は成り立たない。在宅勤務へと拙速に移行すれば、あまりにも多くのものが失われるだろう。商取引にとって不可欠な渉外の仕事は、仕入れ先や顧客との打ち合わせ、会合、昼食、ディナー、同僚との飲み会をともなう。また、**ほとんどの創造性は、偶然の出会いや不意の会話から生じる。**これらのことは偶発性に乏しいヴァーチャルな会合からは生まれない。

また、**学会、会議、シンポジウム、サロン、フォーラムの利点の大きな部分を占める**

「出会い」〔新規の取引や人材発見のきっかけ〕**が失われる。**聴衆に自らを知ってもらい、ヴァーチャルに出会うことができるのは発表者だけだ。

企業における最も重要な場は、しばしばコーヒーマシンの前やカフェテリアだ。こうした事情を心得ている通信社、ブルームバーグのニューヨーク本社では、事務所の環境がカフェテリアさながらだ。こうした職場がなくなると、仕事上の人間関係は冷え切った人間味のないものになり、社員は忠誠心を失い、これまで以上に金銭にしか関心を示さなくなるだろう。つまり、遠隔会議は社会的つながりを徐々に分断していく要因の一つとして、集団構造を緩やかに解体していくのだ。

これを部分的に補うには、ヴァーチャル会議においても各自が自由闊達に発言できるようにし、交流の質を保たなければならない。つまり、偶然の発見を促す彷徨を推進するための方法を見つけ出す必要があるのだ。ヴァーチャルなカフェ空間をつくるのも一つのアイデアだ。一部の出会い系サイトなどですでに運用されているこうした仕組みを、企業やヴァーチャル化した会議に取り入れるのだ。こうした方法は、専用アプリとともにすでに黎明期にある。

企業の新たな評価基準

企業が優秀な人材を保持するには、社員の仕事に意義を付与することが何よりも重要だ。

そのためには、企業の成績を評価するうえで、株主の利益以外にも基準を定めなければならない。企業は、自社の従業員、顧客、労働環境の保護、そして、将来起こり得る危機への備えに関して責任を負うべきだろう。企業にはこれらのことに対し、少なくとも株主の利益に対するのと同等の配慮が求められる。より一般的に言えば、企業は将来世代の利益に資する、昨今言うところの「ポジティブな企業」になる必要があるのだ。

こうした概念を理解しつつも利益を追求することしか頭にない経営者の空虚な演説に、われわれは騙されてはいけない。彼らはかつての「グリーンウォッシング」（環境に配慮する振り」から「ライフウォッシング」（生命に配慮する振り」という態度に鞍替えしただけだ。株主たちまでもがこうした経営者の嘘に納得しなくなったとき、変化は訪れる。**将来的な危機への準備を怠る企業に投資するのは危険**だからだ。

企業は居心地のよいホテル

国が生き残るには、居心地のよいホテルのような振る舞いをしなければならない。国民はその従業員である。国は世界に自国の文化、アイデンティティ、特異性を知ってもらうために尽力し、自国に投資する人、自国で消費する人、あるいは専門的な能力を自国にもたらす人を全力で歓待する。

企業もまもなくホテルのような存在でなければならなくなるだろう。その理由を記す。企業の組織形態は、パンデミックによるテレワークの推進によって一変した。企業の組織形態が過去の状態に戻ることはないだろう。

一つめの理由は、パンデミックが終息とは程遠い状態にあるからだ。完全な都市封鎖の決断が新たに下されることはないとしても、多くの従業員はデスクがびっしりと並ぶ職場に戻って働くリスクをとりたがらないはずだ。

二つめの理由は、パンデミックにより、複合型経済（サービス部門がＧＤＰの七〇％にまで達することもある）では大半の業務はテレワークでこなせることが明らかになったからだ。

二〇三五年には少なくとも一〇億人がテレワークで働くという見通しさえある。

テレワークの弊害

しかし、テレワークがあまりに広く浸透して一般化したり、オフィス外でのフルタイム就業が長期化したりするようになると、われわれは、それが企業と従業員の双方にとってよくないことだと気づくだろう（企業にとっては、従業員は自己愛に満ちた不誠実な傭兵のような人物だけになってしまい、力を合わせて働く協力者がいなくなってしまう。従業員にとっては、外出したり、同僚と意見を交換したりする機会が失われる。そして、従業員はテレワークで孤立しているので解雇されやすいと思い、企業の価値観に違和感を覚えるようになる）。

結果として、社内のあらゆる階層でテレワークを導入しすぎる企業は、社員で共有すべき企業精神、事業計画、固持すべき価値観を維持できなくなり、消滅するだろう。

観光業のノウハウを活かす

したがって、企業を守るには、次に掲げる二つのことをなすべきだ。

一つめは、従業員が企業への帰属意識を感じられるようにする方法を探すことだ。そのためには、共通の価値観を練り上げ、従業員が誇りをもって取り組める、短くとも一〇年単位での計画を打ち立てることだ。こうした取り組みを「企業の社会的責任（CSR）」に関する曖昧な演説や、単なる定款の変更によって取り繕うことはできない。一部の「Bコーポレーション〔公益に資する事業を行っていると民間の認証団体に認められた企業〕」や「社会的な使命を果たす会社」が、従業員を搾取して消費者に有害な製品をつくっているのは周知の事実だ。

二つめは、職場、とくに本社を、従業員が働きやすい雰囲気にすることだ。より具体的に言うと、従業員に出社したいと思わせるためには、社内のレストラン、会議室、作業場は、居心地のよいホテルのような雰囲気にすべきだろう。

これはパンデミックで壊滅的な被害を受けた観光業にとって新たな市場になるだろう。観光業には、企業の本社やサービス産業の職場を改装および新設するためのノウハウがある。同様に、観光業は、患者とその家族を丁重に迎える快適な環境を提供するなど、病院のサービス向上にも貢献できるだろう。また、ホテル業のノウハウは高齢者施設の開発にも適用できる。高齢者施設が実際のホテル業界のノウハウから得られるものは多岐にわたり、さらには、供給過剰のホテルを高齢者施設に転用することも考えられる。

非営利活動の発展

今回の危機では、これまで見過ごされてきた幾多の問題が表面化した。そのなかでも重要なのが、慈善団体やボランティアの活躍だ。

非営利組織やボランティアは、とくに社会、文化、スポーツ、娯楽などの分野で活動し、危機時において重要な役割を担う。非営利組織では大勢の職員に加えてボランティアも働いている。その大半は非常勤だ。非営利組織という枠組みではなく、非公式に個人で活動するボランティアもいる（おもに女性が従事する、無報酬のさまざまな家事労働は、その統計には含まれない）。

自宅待機令と感染症の危機によって、これらの活動は世界中で著しく発展した。非営利組織の職員や、公式あるいは非公式のボランティアの人口はこれまでにないほど増えた。

多くの市民が参加する、連帯と相互扶助の新たな形態が誕生している。困難に直面する人々を支援するこうした奉仕活動を組織するためのデジタル・プラットフォームが設立された。自宅待機中の人同士でも、あらゆる形態の互助運動が盛んになった。たとえば、食糧提供や雇用支援、そして声掛けなどだ（とりわけ、高齢者や路上生活者に対して）。これらの活動の社会的価値は著しく増加した。**あたかも、危機によって営利組織のＧＤＰが減少したことで、反対に非営利活動によるＧＤＰが増加したかのようである。**

非営利組織が担う大きな役割

今回の危機以前でさえ、ヨーロッパの就業人口のうち、非営利組織で働く人口が占める割合はおよそ一〇％だった（そのうちの四分の三は、教育、医療、社会サービスなどの分野）。フランスにはおよそ一三〇万の非営利組織が存在し、それらの半数は、文化、スポーツ、娯楽の分野で活動している。毎年新たに六万から七万五〇〇〇の非営利組織が誕生している。有給職員がいる非営利組織は少数派だ（全体の一五％未満。おもに社会支援の分野）。より正確に言うと、一六万三四〇〇の非営利組織が一八〇万人を雇用している。これは民間部門の被雇用者のおよそ一〇％に相当する。さらには、市民ボランティアサービスで働く八万人の若者と一二〇〇万人のボランティアが加わる。

フランス以外にも三つの国の例が参考になる。

オランダでは、就業人口に非営利組織で働く人々が占める割合はおよそ一二・三％だ。同国で人々がボランティア活動に費やす時間（平均して週に四時間超）は、フルタイム労働に費やす時間の八％に相当する。非営利組織によるオランダ経済への貢献は、GDPの一〇・二％に相当する。国民の七〇％以上が非営利組織に毎年寄付するものの、非営利組織のおもな財源は公的資金である。

アイルランドでは、就業人口のうち非営利組織で働く人々が占める割合は八・八％であり、その活動はアイルランドのGDPの六％以上に相当する。最大の出資者は政府と公社だ。アイルランドの世帯は、毎週平均三・七五ユーロを非営利組織に寄付している。

カナダでは、慈善事業部門はGDPの八％に貢献し、就業人口の一二％を常勤雇用している。カナダでも、慈善事業部門は国民と企業の寄付（カナダ人の六〇％が毎年寄付をしている）、そして連邦政府と州政府の補助金によって運営されている。

これらの国ではいずれも、パンデミックへの対応において非営利組織が大きな役割を担った。こうした非営利組織の活動を大幅に発展させるべきだろう。この話題については後ほど語る。

消費行動と小売形態の変化

今回の危機は電子商取引を急成長させた。

アメリカでは、オンラインショッピング（インターネット通販）の売り上げが二〇二〇年三月初めから四月末にかけて一・五倍に増加した。とくに食品の売り上げは一一〇％増え、電化製品は五八％、書籍も一〇〇％増加した。四月に衣類は三四％、パジャマは一四三％増加したが、上着は三三％減少した（外出の機会がないためか）。四月のインターネット通販でのアルコール飲料の売り上げは七四％増加した。近隣の店で注文した食品を配達してくれるインスタカート社は売上高を五倍に伸ばし、二〇一二年の創業以来初の黒字になった。四月には七二〇万人のフランス人がインターネット通販を利用した（一月の時点では五〇〇万人未満だった）。

中国では反対に、食事の宅配注文は減少した。インターネット通販で増加したのは、台所道具、パジャマ、ヨガマットといった商品のみだった。**都市部周辺の農民は、地域の消費者に自分たちの農作物を宣伝するための動画を生配信した。**

また、**今回の危機を通じて、誰もが近隣の商店のありがたみを意識し、たとえ値段が少し高くても地元の店を贔屓にすることの重要性を痛感した。**

街角の書店が週に数時間でも営業を再開すると、注文が殺到した。一方、電子書籍のプラットフォームも急成長した。たとえば、ストリーミングによる読書プラットフォーム「Youboox」の登録者数は、二〇二〇年初めから三月にかけて四倍になった。都市封鎖の期間中、このサービスへの加入申し込みは一〇〇％以上も跳ね上がった。

インターネットを利用するサービスはさらに発展する。小規模店舗の宅配事業への参入を促すため、各人のニーズに合わせて高度に個別化されたヴァーチャルな購入手段が発達しており、今後も充実していくと見込まれる。店舗では、それぞれの顧客の好みを熟知したヴァーチャルな店員が接客を行う。つまり、従来の店員が行っていた接客業務を、会話ボット（オンラインで顧客の質問に随時回答できるコンピュータプログラム）が少しずつ担うようになるのだ。

顧客がヴァーチャルアシスタントに話しかけながらオンラインショッピングをすることができる「ボイスコマース」も発展するだろう。すでにウォルマート、コストコ、ターゲットなどの大手流通業者はグーグルと組み、顧客が音声で品物を注文できるシステムを開発した。

アメリカでは、ドライブスルーという消費形態もこれまでになく好調だ。二〇二〇年四月一日から二〇日にかけて、ドライブスルーでの販売は前年同期比で二〇八%増加した。

大勢の「フォロワー」をもつインフルエンサーに謝礼を渡して自社のブランドや製品を宣伝するインフルエンサーマーケティングが、従来の広告手法に代わって徐々に浸透している。

宅配手段も将来的に大きく変化するだろう。多くの宅配業者が試験的に行ったドローンによる配送は、将来的に有力かつ必要な輸送手段になるのではないか。

情報リテラシー

今回の感染症は「情報感染」をともなった。

信頼できるオンライン情報サイトだけでなく、信頼性の低いオンラインサイトの閲覧数も急増した。ほとんどのメディアでは、扱う情報の半分以上がパンデミック関連に割かれた。今回の危機では、ニュースを流し続ける番組は視聴者を増やし、広告収入を減らした。結果として、ニュース番組同士の競争はますます熾烈になった。イギリスではBBC、日本ではNHK、フランスでは公共のラジオ局とテレビ局が視聴者を増やした。

有能な医師が無能な医師たちと討論する、経済学者がくだらない茶飲み話に加わる、どんな専門家もまず認めないであろう見通しを政治家が自信たっぷりに述べるという場面が散見された。また、優秀なジャーナリストが本領を発揮し、漠然とした事実から理にかなった分析を提示する場面もあった。

無数の嘘とフェイクニュースが拡散した。〔イタリアの調査機関〕ブルーノ・ケスラー財団が、ソーシャルメディア〔ツイッターやブログなど〕に投稿された新型コロナウイルス感染症に関する一億一二〇〇万件以上の記事を分析したところ、その四〇％以上は、信頼できない情報源に基づくものだと判明した。「Covid19 Infodemics Observatory」によると、新型コロナウイルス感染症に関連するツイートの四二％以上は、自動化されたソフトウエア（ボット）が生成したものであり、およそ四〇％は信頼できない内容だったという。ロイター・ジャーナリズム研究所が六ヵ国で実施した調査によると、ソーシャルメディアの利用者のおよそ三分の一は、新型コロナウイルス感染症に関する誤った情報を目にしたと回答しているという。

残念なことに、最も信頼できる情報源が最もフォロワーを集めているわけではない。事実に反する嘘を連発してもアメリカ大統領の人気は衰えないように、こうしたやり方は世相を表している。

時間の新たな利用法：自ら行動する

結局のところ、この危機の最中にわれわれが真っ先に悟るのは、大切に扱うべき唯一のものは時間だということではないか。時間、それも心地よい時間こそが、本当に稀少かつ価値をもつということだ。

日々の時間は、不安や浅はかなことに費やすべきではない。

個人の時間は、健康のために投じる資源を増やすことによって引き延ばすべきだ。学んだり自分自身を見出したりするためにより多くの時間を割くこと、つまり、「自己になる」

姿勢を模索することによって、個人の時間はこれまで以上に豊かになる。

働く時間は、単に稼ぐためでなく、創造的であるべきだ。

そして文明の時間は、自分以外の全人類、現在および将来を生きる人々に対し、まったく新たな姿勢で臨むことによってしか保全できないだろう。

傍観者から行為者へ

今回の危機においても、時間が稀少だからこそ、自宅待機という時間を平穏に過ごす者と地獄のように感じる者との間での生活条件の著しい不公平が実感できたのではないか。

さらには、誰もが時間は何かを買うよりもつくるためのものだと思うようになるのではないか。今回の危機においては、家事がやらざるを得ない雑用であること（そして、それをおもに女性が担当したこと）に変わりはなかったものの、多くの人々が、料理、音楽、書き物、絵画、日曜大工などに勤しむことができた。つまり、**ただ傍観者の立場にとどまるのではなく、自ら動く行為者になった**のだ。

すでに数千万人の人々がソーシャルネットワーク上で自分たちのパフォーマンスを披露している。こうした風潮は危機以前から長く続いていたが、今後も加速するだろう。インターネット上では、アマチュアの音楽家によるコンサート、公開日記、さまざまな話題に関するエッセイ、デッサン、写真、そしてアマチュアによる料理、菓子、絵画、体操、ヨガ、ピラティス〔体の動きやバランスを整える運動〕などの教室が急増した。さらには、自分自身のために音楽を奏でたり料理をつくったりするように、多くの人々が喜びを金銭のやりとりでなく自分自身のなかに見出すようになった。

こうした風潮はきわめて大きな変化であり、営利追求型の経済に割かれる時間の減少へとつながるに違いない。これは少なくとも、非営利型の経済の発展によって生じた、営利追求型経済の縮小傾向と同程度の影響をもつだろう。これら二つの変化は少なからず関係しているのだ。

あたかも、資本主義とそれを支える人工物の狂った発展が、パンデミックによって己の限界をついに見出したかのようだ。

監視と信頼

しかしながら、われわれは重要な部分に関しては、自己陶酔的な自給自足とでも形容すべき自己の産物で満足してはならない。

その代表例が、**保護されること**だ。誰もが、人間、消費者、生産者、国民として、これまで以上に保護されたいと願うようになるだろう。ところが、**生命の保護は何といっても集団で取り組むべき仕事なのだ。**よって、生命を組織的に保護するには、共通の手段を整備する必要がある。そのためには、われわれは医療保険に費やされる金額を減らし、病気から身を守るための財源を増やすべきだ。

とくに感染症を予防し、抑え込むためには、国と企業は、個人の健康状態を監視するためのさらなる効果的な手段を構築する必要がある。

監視という諸刃の剣

権力の中枢にはつねに監視があった。デジタル技術による国民の健康状態の監視は、独裁者の道具にも、個人が自由を得るための手段にもなる。

権力者がデータを管理するのなら、それは疎外や検閲のための強力な道具になる。中国の感染症対策の例で紹介したように、権力者によるデータの管理は悲惨な過ちに至る危険性がある。すべての全体主義が過去に示した結末と同様、検閲を実施する監視体制では、国内の出来事を把握するのが困難になり、過ちの源泉が強化され、国の凋落は加速する。

これとは逆に、各自が自由に自己を監視し、自分が集めるデータをどう利用するかを自身で決めるのなら、監視は自由と信頼の道具になる。自分が冒す恐れのあるリスクや、自身と他者に害を与える危険性のある事柄を知れば、正しい判断を下すことができ、結果として他者も正しい判断を下せる。

より一般的に考えると、**自由になるには、各自が自己をできるだけ正確に知ろうという関心をもつことが重要だ。**つまり、自分自身で自己を監視することだ。自己の監視という

「病気不安症」は自由の基盤にもなるのだ。

自己の監視と同様に、自分たちが知らないことを知るのは教育を成功させるための前提条件である。そして、教育はわれわれが無知である領域を見出すことにも役立つ。ようするに、自己の監視は、自信をもち、そして他者を信頼するための道具になるのだ。

最終的に、われわれは今回のパンデミックからこんな教訓を得ることになるだろう。「自己になる」には、国の舵取りをするのと同様に、**自分自身に嘘をつかないことと、無能を教義で覆い隠さないこと**が重要だ。たとえその真実が無知からつくられているとしても、真実を語ることがきわめて重要なのだ。

そして、**真実から見通しと計画を導き出す**のである。

第六章
命の経済

今回の危機により、われわれの経済と社会は大規模な、しかし予測可能である事態に対し、備えができていないことが明らかになった。また、われわれの生活様式と生態系への影響が、今回のパンデミックを（引き起こしたわけではないにせよ）大きく悪化させたことも判明した。

そこで、このようなことが明白になった。われわれは、組織構造、消費、生産の形態を抜本的に見直す必要がある。われわれの社会は、経済活動を新たな方向へと誘導しなければならない。すなわち、生産がこれまで著しく不足していたが、生活に必要不可欠だと判明した部門へと経済を導く必要があるのだ。

一つめは、パンデミックとの戦いに勝利するために必要な部門だ。

二つめは、パンデミックによって必要性が明らかになった部門だ。

これらはともに、この先発展させていくべき経済活動を構成する。本書において私はこれらの部門を「命の経済」と命名する。

治療薬とワクチン

最優先課題は、当然ながら治療薬とワクチンの開発だ。今回の感染症を食い止めるのはこれら二つだけだろう。

現在、治療薬とワクチンの開発に向けて多大な努力がなされている。まず、大学と企業が〈感染経路や伝播様式などについての〉データを集積している。たとえば、随時更新されるジョンズ・ホプキンズ大学のデータベースは、毎月一万一〇〇〇回以上も利用されている。

アメリカのＡＩ企業「C3.ai」のデータベースの利用回数はさらに多い。GitHub〈ソフトウエア開発のプラットフォーム〉ではパンデミック拡散の〈過程を分析・モデル化する〕アルゴリズムが次々と共有され、〔その手法を紹介する動画も〕ユーチューブ上で増え続けている。

カリフォルニア大学サンフランシスコ校などの研究チームは、ウイルス〔の立体構造〕を拡張現実（ＡＲ）で可視化するシステムを開発した。

今回の感染症に関する科学論文の数は、三月末までにすでに二万四〇〇〇本以上発表されていたが、六月初めには一二万七〇〇〇本になった。

前途多難

七月一五日の時点で、ワクチン開発計画はおよそ二〇〇ある。ＷＨＯによると、一四〇種類が臨床試験前の段階にあるという。二三種類の候補については、臨床試験が進められている。その内訳は、中国で八種類、アメリカで三種類、ドイツで二種類、インドで二種類、イギリスで二種類、オーストラリアで二種類、韓国で一種類、日本で一種類、ロシアで一種類、カナダで一種類だ。

アメリカの小規模企業、モダーナ社（Moderna：モデルナとも）は、三月一六日からシアトルで四人の志願者を対象にする臨床実験を開始した。このワクチン候補はかなり有望視されている。六月初め、モダーナ社は他社に先駆け、ワクチン開発の臨床試験の最終段階に入り、七月二七日から三万人の被験者を対象に試験を行う予定だ。

三月中旬、ドイツのバイオテクノロジー企業、BioNTech 社のワクチン候補の臨床試験も始まった。七月中旬、BioNTech 社は、夏に三万人の被験者を対象にする新たな試験を行う予定だと発表した。

オックスフォード大学の研究室は、イギリスの製薬会社アストラゼネカと共同で開発しているワクチン候補の臨床試験を、六月中旬におよそ一〇〇〇人を対象に行った。ワクチンを開発しているオックスフォード大学の研究チームは、イギリス、アメリカ、ブラジル、南アフリカ共和国において四万七〇〇〇人という大規模な臨床試験を行う予定だ。

サノフィもフランスとアメリカで臨床試験を行う。今年の夏の終わりには臨床試験を行うと思われる〔同じく製薬大手のグラクソ・スミスクライン（本社はイギリス）や、二〇一一年創業のベンチャー企業、Translate Bio 社（アメリカ）などと共同で、仕組みの異なる複数のワクチンの開発を進めている〕。

ワクチンを開発できたら、今度はそれらを数十億回分生産しなければならない。したがって、ワクチンの優先確保を巡る壮絶な争奪戦が起こることが予想される。**開発されるワクチンは世界の公共財にすべきだろう。**

同様に、効き目があると考えられる既存の薬品や新薬などの治療薬も試験段階にある。ヒドロキシクロロキン〔抗マラリア薬〕などの既存の薬品の投与を巡って激しい論争が起きたが、決定的な研究結果は出ていない。ヒドロキシクロロキンと同様のことが新規の薬についても起こっており、しばしば、われわれを落胆させる結果となっている。たとえば、アメリカの製薬会社ギリアド・サイエンシズが開発している新薬なども、現在のところまだはっきりとした効果は確かめられていない。

イギリスのベンチャー企業、BenevolentAIは、新型コロナウイルス感染症の治療薬を突き止めるために人工知能による治療薬発見プラットフォームを利用する。このプラットフォームにより、同社は三日間で〔既存の薬剤のなかから〕治療薬の候補を三七〇種類から六種類に絞り込んだ。

三月二二日に始まったヨーロッパの「DisCoVery（ディスカバリー）」計画では、三〇〇〇人以上の新型コロナウイルスの感染者に対して四種類の治療薬〔いずれも他のウイルス性疾患の治療薬として使われているもの〕の臨床試験を試みたが、いくつかの国では適正な被験者を充分に確保できず、この計画は順調に進んでいないようだ。

総じて、これらの研究には充分な資金が投じられていない。EUとG20は一致団結し、ワクチン、治療薬、診断法を世界規模で開発してこれらを広く利用するための財源として八〇億ドルを確保した。さらには、一部の富豪が資金の提供を申し出た（ツイッターの創業者ジャック・ドーシーは私財の三分の一に相当する一〇億ドルを提供し、ビル・ゲイツはワクチンが開発されれば世界での生産を賄う準備があると宣言した）。

それでも、これだけではきわめて不充分だ。ＷＨＯによると、これらの研究をできる限り早期に成功させてその成果を普及させるには、およそ五三〇億ドルが必要だという。これは第三章で紹介した、世界経済を下支えするために投入した資金と比較すると、とるに足りない額だ。ところが、その額が集まらないのである。

眼前の緊急課題を前にして実に奇妙な対応ではないか。われわれは月に宇宙飛行士を送り込むために、資金、人材、テクノロジーを総動員することができた。今日、火星に探査機を送り込むために同様のことを行っている。**それならなぜ、人類のサバイバルが治療薬とワクチンの開発にかかっている今、われわれはほとんど何もしないのだろうか。**これこそ「命の経済」の優先課題だ。しかも、課題は一つだけではない。

ヘルスケアの強化を図る

国と世帯は、収入に占めるヘルスケア（医療、病気予防、健康増進など）**関連費用の割合を増やす覚悟をもたなければならない。**その費用を負担ではなく、富を創造するための費用と見なすのだ。**国と世帯は、ヘルスケア費用の増加は悪いニュースではなく、自分自身と他者がその世話になっている証拠だと認識する必要がある。**

資源の確保と人材交流

ヘルスケアには莫大な需要がある。世界人口の半分は、相変わらず最低限の医療衛生サービスも享受できない。医療費を賄うための適切な社会的保護を利用できない人々の割合はもっと多い。人間が制御できないパンデミック、実態がよくわかっていない難病、治療法のない疾患は無数にある。

したがって、あらゆる病気に対処するための医療設備とヘルスケア産業に莫大な資金を投入しなければならない。それには、看護師、医師、技師がもっと大量に求められるだろう。感染症の伝播経路を追跡する人材〔疫学者など〕も必要だろう（これは現在のアメリカでなお雇用が増えている稀少な職業部門の一つである）。とくに、マスク、検出用キット、追跡手段など、世界各地でいまだに決定的に不足するパンデミック対策に必要な手段を拡充する必要がある。専門の企業、他業種から参入する企業、他分野からの研究者が、世界中で不足するこれらのモノを世界中で大量に生産しなければならない。

こうした取り組みについては、ハーバード大学とパリとの間で発展した作業グループ「Just One Giant Lab（ＪＯＧＬ）」の例が参考になる。ＪＯＧＬは、多国籍企業・機関に勤める研究者、エンジニア、生物学者、人類学者など、多彩な才能の持ち主が交わり合う共同体だ。ＪＯＧＬでは、一ヵ月で六万人以上の協力者が、新型マスク、低価格の換気装置、診断アプリなど、九〇以上の計画を練り上げた。

遠隔医療の発展

他方、今回の危機により、遠隔医療の利用が進むだろう。

遠隔医療の推進は、新たなテクノロジーや医療機器の発展を促すに違いない。今日まで、優秀な人材と資金は、新型の自動車、航空機、衣料、携帯電話の開発に動員されていたが、医療機器はこれらのものよりもはるかに社会の役に立つ。

ところで、医療機器を扱う会社にGAFAMよりも巨大で影響力をもつ企業が存在しないのは驚きだ。アイルランドに本社を置くメドトロニックは、世界最大の医療機器会社（おもに心臓ペースメーカー、除細動器、ステント、補綴物を製造する）だが、同社の二〇一九年の売上高は三〇六億ドルであり、これはアップルの八分の一に過ぎない。第二位はジョンソン・エンド・ジョンソンの子会社（デピューシンセス）で、医薬品と医療機器を扱うこの会社の売上高は二七〇億ドルだ。第三位のGEヘルスケアの売上高は一九七億八〇〇〇万ドルで、医療画像処理ツールが主力である。**GAFAMをはじめとする他分野の巨大企業と比較すると、医療機器を扱う会社の売上高はきわめて少ない。**

供給体制の抜本的な見直し

各国は、国民の生命を守るために不可欠なこれらの部門において、信頼できない外国の供給者への依存から脱却すべきだろう。**どんな医薬品であろうと、世界は一国の生産者だけに依存する体制を改めるべきだ。**これはマスクや、人工呼吸器などの医療機器についても同様である。国民の生命を守るためのこれらの手段は、新興国でも国内生産を開始できるようになるまでの間は、国際社会が供給すべきだ。今回の危機によって、われわれは**他者が健康であることは自分たちの利益になる**と痛感するはずだ。

公衆衛生に関する世界的な発展計画も打ち出す必要があるだろう。生鮮市場、下水道管理網、衛生用品のリサイクル（今日、ほとんどの衛生用品はプラスチック製の使い捨てである）を改善すべきだ。二〇一二年のＷＨＯの調査からは、公衆衛生への投資効率は一ユーロの投資に対して五ユーロのリターンという計算になることがわかった（小児の死と医療費を減らし、生産力を増やす）。また、中国で国際連合児童基金（ユニセフ）が実施した調査によると、小学校で石鹸を配給したところ、生徒の不登校が半減したという。公衆衛生に関しては、多くの規則を厳格に、世界規模で適用する必要がある。公衆衛生にはさらなるグローバリゼーションが不可欠であり、それを後退させてはならない。

より一般的には、これまでおろそかだった予防策を徹底すべきだろう。とくに、食事を通じた予防策はきわめて重要だ。

新たな対話の形：食生活を改める

少肉多菜

今回の危機のあらゆる場面には食物の存在があった。

まず、今回のパンデミックの発端には、食用を禁じられている動物が関係していると見て間違いないだろう。実際に、ヒトの感染症の六〇％と近年ヒトが新たに罹るようになった病気の七五％は、動物を食べたり、動物と接触したりすることに原因があるとされる。重症急性呼吸器症候群（ＳＡＲＳ）、ヒト免疫不全ウイルス（ＨＩＶ）感染症、麻疹、インフルエンザの一部などがこれに該当する。**工業化された集約畜産、狭い環境での動物の飼育、不衛生な食肉処理場や生鮮市場などは、多剤耐性菌**〔複数の抗生物質に耐性をもち、感染時の治療が困難となる〕**の発生を促す。**とくに食肉処理場では、これらのリスクにさらされやすい。より一般的に考えれば、**動物界の健康なくして人類の健康もない**といえる。この関係は、肉の消費量を大幅に減らすべきだという主張に説得力を与える。

少糖多果

次に、新型コロナウイルス感染症に感染した人々のうち、過体重の患者は、統計的に見て重篤な症状になりやすい傾向がある。この感染症だけでなく、肥満は多くの病気の原因であり、健全な食生活こそがその第一の予防策だ。したがって、砂糖の消費量をできる限り減らすべきだろう。しばしば絶食し、少量をゆっくりと食べる習慣を身につけるとよいかもしれない。**自宅待機期間中の悪い習慣**（個食、だらだらと食べ続ける、スポーツをしない）**はやめたほうがよい。**

地産地消

われわれはこの先も健全な食生活を学び続け、できる限り多くの地元産野菜と近郊の海で獲れた魚を消費すべきだろう。これは生産者だけでなく消費者の利益にもなる。今日、地産地消を適正な価格で実現するために、消費者は一団となって質の高い小規模生産者から仲買人を通さずに直接買い付けることを始めている。このようなゆっくりとした変化は、自宅待機によって加速したのではないか。

新たな食文化

食事中は他者との間に距離を設けることが決まりになったとしても、食事は会話の場であり続けるべきだ。そのためには、自宅、食堂、レストランなどのテーブルの配置を抜本的に見直す必要があるだろう。これは必ずしも悪いことではない。ぎゅう詰めのレストランで見知らぬ客に挟まれて食事をすることほど不快なものはないからだ。

スペイン、イタリア、フランスの一部のレストランでは、テーブルの間に透明な仕切り板を設置した。オランダのアムステルダムでは、ヴィーガン・レストラン（動物製品を一切利用しない絶対菜食主義のレストラン）の「Mediamatic ETEN」が、三人用のテーブルが置かれたガラス温室型の個室を設置し、客を迎えている。

レストランは持ち帰りサービスも始めている。シンガポールの超有名バー「The Old Man Singapore」は、テイクアウト用のカクテルを一五分以内に用意してくれる。持ち帰りサービスは、効率的なドライブスルーのある大手ファストフード・チェーンや超大型レストランなら容易だろう。独自のシステムを用意できない店では、宅配業者と提携することになるだろう。そうすれば他の町にも出店しやすくなる。

ヨーロッパではとくに、新たな共通農業政策が、土壌の健全化、付加価値の適正な分配、食品廃棄物の削減を最優先課題に掲げる予定だ。だが、達成までの道のりは長い。

新興国も先祖伝来の自治を取り戻すために、伝統文化を復活させ、農民によりよい教育を施し、土地の所有権を耕作者である彼らに譲渡しながら、これらの課題を実行すべきだ。

密集型都市からの脱却とソーシャルディスタンス

今回の感染症により、都会で暮らすのは住民の健康にとって危険だという考えが甦った。たしかに、ミラノ、マドリッド、ニューヨークなどの大都市では、新型コロナウイルス感染症による死亡者が大勢出ている。過去の時代には、パンデミックが起きるたびに都市計画によって清潔な街づくりが推進されたように、今回の危機においても、人口の密集を解消するために都市部の景観は様変わりするだろう。

一極集中の是正

都市部の住人は今回の危機をきっかけに、**生活費が異常に高く密集した巨大都市での暮らしに見切りをつけ、自宅待機中のように一時的にではなく、恒久的に郊外に引っ越してしまうかもしれない。**

大都市では、もっと距離を保って暮らすようになるのではないか。というのは、ウイルスは密閉された環境や、数人が一つの部屋を共有する場面で拡散しやすいと考えられるからだ。

緑地、幅の広い歩道、自転車専用レーンは大幅に増える一方で、自家用車と公共交通機関の利用は激減するだろうが、テレワークの発展によって、不便はあまり感じられないだろう。パリなどの巨大都市では、ここ数ヵ月間で早くも自転車レーンが整備された。コロンビアの首都ボゴタ〔以前から延べ五四〇キロメートルの自転車専用レーンを設置していた〕では、全長一一七キロメートルにおよぶ臨時の自転車専用レーン〔毎週日曜日の午前七時から午後二時まで〕が整備された。駐車場には空きが増えるが、そのスペースは通販や宅配の商品配送センターとして利用できる。道路の法定速度はさらに引き下げられるだろう。たとえば、ブリュッセルの都市中心部やその周辺では、法定速度が時速二〇キロメートルにまで引き下げられた。歩行者の多い地区では、〔家具量販店〕イケアの店内と同様に一方通行が一般的になるだろう。

密集度の低い小都市には、大都市からの住民が引っ越してくるだろう。人口の密集を解消するための移住も、パンデミック中に潜在的な力が確認されたテレワークによって容易になるはずだ。ヨーロッパ各地の不動産関係者によると、二〇二〇年五月以降、別荘の需要は増え、都市部の集合住宅の需要は減る傾向にあるという。

事業用施設に求められる変革

事業用不動産の市況についても同様だ。パンデミックはすでに始まっていた傾向を加速させるだけだろう。**大型商業施設は存在意義を失い、施設によっては統廃合を強いられるに違いない**。これは今後数ヵ月から数年にかけての大きな課題の一つだ。

とくに公共性の高い建物では、病原体への感染対策に万全を期す必要がある。既存の建物であれば、建物内を抗菌処理し、清掃しやすくする。手を触れずに扉を開閉できるようにする。建物に入る前に体温測定を実施し、人の流れを一方通行にする。マスクとアルコール水溶液ジェルを建物内の至る所に用意する。自動洗浄式トイレを設置し、室内の空気の質を大幅に改善する。これから建てる建物であれば、再生可能エネルギーを利用すべきだ。

そして、すべての建物は、危機の発生時に用途をすぐさま変更できるように設計しなければならない。多目的室は住居を失った人の避難所、会議室は「野戦病院」に改装できるようにするのだ。バカンス村は隔離施設としても利用可能な構造にすべきだ。

すでに進行する分散化

多くの企業は大都市を離れ、本社を中堅都市に移すだろう。

こうした動きはすでに散見できる。ウーバー・テクノロジーズ〔自動車の配車・相乗りサービス「Uber」を運営〕はダラス〔テキサス州〕、リフト〔ウーバーと類似のサービス「Lyft」を運営〕はナッシュヴィル〔テネシー州〕、アップルはオースティン〔テキサス州〕へ本社を移動させようとしている〔いずれも現在の本社はカリフォルニア州〕。

数年前から、ブラチスラヴァ〔スロバキアの首都〕、リスボン〔ポルトガルの首都〕、エディンバラ〔スコットランドの首都〕、ヴィリニュス〔リトアニアの首都〕、クラクフ〔ポーランド南部の都市〕などのヨーロッパの中堅都市には、賃料の安さや現地での生活の質の高さからハイテク起業家が集まり、ビジネスコミュニティが形成されつつある。

たとえば、ブラチスラヴァには、ビジネス誌『インク（Inc.）』が発表する「Inc. 5000 Europe」〔毎年、急成長中のヨーロッパ企業上位五〇〇〇社を発表〕にランク入りする一〇〇社以上のハイテクベンチャー企業（とくに、デジタルと運輸の分野）の本社がある。イーロン・マスク〔テスラ、スペースXなどの創業者〕は、自身の構想である「ハイパーループ」〔真空チューブ鉄道〕技術でブラチスラヴァとウィーンの間を結ぶ計画を練っている。

グーグルとウーバー・テクノロジーズは二〇一八年、ヴィリニュスに事務所を開設した。クラクフには、ＩＢＭ、ＵＢＳ〔スイス最大の銀行〕、キャップジェミニ〔ＩＴコンサルタント企業〕などの世界的な大企業が拠点を置き、業績を伸ばしている。

また、ヨーロッパで最も経済成長が著しい都市の一つであるルーマニアの首都ブカレストにも、世界のハイテク企業が集まっている。外国語が堪能な大卒以上の若者が多く、不動産賃料はベルリン、ロンドン、パリの半額だ。そして二〇一七年、フィットネスアプリ用のセンサー付き端末をつくるアメリカ企業、フィットビット（Fitbit）は、高級スマートウォッチメーカーであるルーマニア企業、ヴェクター・ウォッチ（Vector Watch）を買収した。

すべては教育から

世界各地では、より高度な教育を受け、生涯研究を続ける大学の教員が、より大勢必要になるだろう。彼らの報酬は引き上げられるべきだ。

医療分野と同様に、教育分野に投じる資金を（よりよい用途に）**増やせば増やすほど、国は豊かになると認識すべきだ。教育は、永続的、実践的、具体的でなければならない。**

社会のデジタル化に向き合う

いかなる人物であっても、デジタルテクノロジー、環境問題、社会問題を無視すべきではない。

そしてとくに、職人の仕事などのかけがえのない職業を軽視すべきではない。もっとも、デジタルテクノロジーを扱う職業自体も、技術がさらに進歩すれば別のデジタル専門職によって駆逐されるかもしれない。数千万人の就業者を転職させなければならないだろう。

彼らには自身の職業が消滅することを理解してもらってから、再就職のための職業訓練を施す必要がある。これは彼らが「自己になる」ためだ。

遠隔教育の発展

自宅待機中の教育からは、親からの援助が得られない生徒を「落ちこぼれ」にしないための多くの教訓が導き出せるだろう。教師はさまざまな新しい技能を身につける必要がある。遠隔授業による集団学習を発展させなければならない。

学校を設計する際は、さまざまなリスクを考慮しなければならない。すべての公共の場と同様に、生徒と教師の学習教育環境を守るため、学校には高い水準が求められる。

教育法に関しては、カーンアカデミー〔無料のオンライン授業〕など、危機前からすでに行われてきた遠隔指導が参考になる。遠隔学習は将来的に大きな発展を遂げるであろう、魅力的な分野だ。

岐路に立たされた高等教育

今回の危機が発生して以降、世界中のほとんどの大学や高等教育機関のキャンパスが閉鎖された。大半の大学では再開の目途は立っていない。他の分野の場合と同様に、これらの事態がどれほど深刻な影響をおよぼすのかは、まだ把握できない。

これらの高等教育機関のごく一部は、ソーシャルディスタンスの規則を遵守しながら、活動を全面的に再開するという。たとえば、インドのシッキム州〔インド北東部の山岳地。チベット、ブータン、ネパールに接する〕、シンガポール、中国の湖北省の大学である。学生と教員は、大学の構内では教室や学食を含め、指定された区域のみで活動することになるという。

その他の大学は、キャンパスでの活動を再開せずにすべての授業をオンラインで行う予定だ。たとえば、ドイツは少なくとも夏学期の終わりまで、イギリスのマンチェスター大学と、アメリカ最大の複合教育機関であるカリフォルニア州立大学の二三のキャンパスは秋学期の終わりまで、イギリスのケンブリッジ大学は少なくとも二〇二一年の夏までオンライン授業を行う。

折衷案を選択した大学もある。実地演習が必要な授業だけは対面で行い、実験室、図書館、資料は利用可能だが、残りはすべてオンラインで行う〔日本でも多くの大学で同様の対応がとられている〕。インドの大学では、授業の二五％はオンラインで、残りは対面式で行う必要があるという。韓国の大学では、ほとんどの授業がオンラインだ。

また、新学期の開始を遅らせて様子を見ている大学もある。ドイツでは、二〇二〇年の秋学期の始まりを一〇月から一一月に遅らせる予定だ（さらにずれ込むかもしれない）。イギリス〔スコットランド〕のアバディーン大学とフランスのパリ政治学院も新学期の開始を少なくとも二週間遅らせることを選択した。

教員の葛藤：負担と制約

こうした混乱は今年だけのことであってほしいと誰もが望んでいるが、たとえ今年だけの変化であっても、その影響は深刻なものになるだろう。

第一に、授業が崩壊する。教員はこのような形式の指導に対する準備がまったくできていない。**授業を学生の実際の理解度や要望に合わせるには、受講者とのやりとりや対話、**

授業後の交流〔個別の質問に答えるなど〕**が欠かせないが、遠隔授業ではその機会が失われる。**今年一年、あるいは数ヵ月だけのことであっても、影響は計り知れない。この状況が続くのなら、熱心な教員はやる気を失うだろう。これほど非人間的な形で授業をしなければならない状況に置かれたら、教職に携わり続けたいと思う教員などいるだろうか。

学生が失う機会

遠隔授業で学生が失うものも予見できる。たとえば、学生の社会性、共同生活やグループワークを体験する機会、教員との関係、交友や交際、スポーツ、社会活動や政治運動に参加する機会が減る。

こうした学生の新たな欲求に応える準備はあるのだろうか。学生食堂の閉鎖によって生じる学生の負担を補填するための財源は確保されているだろうか。大学の近くに住む利点がないのなら、学生は大学寮の狭い部屋で暮らそうとは思わないのではないか。われわれは学生に対し、われわれを今回の混乱へと導いた社会に加わるよう教え続けるのだろうか。財力をもつ特権階級だけが自己を開花させられる社会になるのだろうか。学生を「命の経済」における将来の職業に就くことができるように教育できるのだろうか。

これらの疑問についてもやはり、この混乱が一年以内に終息したとしても、影響は計り知れない。

また、遠隔授業をリアルタイムで円滑に行うために必要なコンピュータと高速通信は、教員と学生にきちんと行き渡るのだろうか。

結局のところ、他のさまざまな分野の場合と同様に、大学教育においても、弱者、貧者、支援を受けられない者が犠牲になるだろう。金持ちの子供、そして豊かな国で暮らす子供は、これまで以上に恵まれた存在になるはずだ。そのような状況も、激しい怒りと革命を呼び起こす余地を生むことだろう。

生涯学習を拡充するチャンス

これらの弊害とは反対に、大学界全体にとってのプラスの材料も予見できる。大学を本格的な生涯学習の場にするのだ。現在、生涯学習は切実に求められている。世界最高峰の教師陣による、古典研究、歴史、さらには未来の分野に関する授業を、誰もが聴講できるようにするのだ。これらの授業を誰もが参加できる形式にする一方で、対面式の授業は少人数制にすることで、〔教師の負担は軽減され〕万人への教育が実現できるだろう。

こうした試みを成功させるには、すぐにでも世界規模の計画を打ち出す必要がある。とくに、オンライン授業を行える教員の育成は欠かせない。パンデミックに関しては、今回失敗を犯した世界保健機関（ＷＨＯ）の例から学べる。教育に関しては、国際連合教育科学文化機関（ユネスコ）の刺激的な取り組みが力になるはずだ。ユネスコの任務は最良の見本となる方式を広め、生涯学習というすばらしい変革を持続的でポジティブなものにすることだ。

大学改革

より月並みなこととして、大学の教員が今年の夏にあまりに長い休みをとらないようにする必要もあるだろう〔欧米の大学には教員の長期休暇制度がある〕。また、各国は大学にしかるべき財源を確保すべきだ。

パンデミックの再来を食い止めるには、今後三ヵ月が勝負だ。ぐずぐずしている暇はない。一日一日が重要なのだ……。

文化と娯楽を遠隔で存続させるには

自宅待機令下の暮らしでは、文化と娯楽がこれまでになく存在感を示した。両者はパンデミック管理の重要な側面でさえあることが明らかになった。今後、文化と娯楽はどうなるのだろうか。人との距離を保つことが必要であり続けるのなら、文化と娯楽をどのように存続させたらよいのか。

サッカーから見える娯楽の未来

スポーツ、とくにサッカーは、文化と娯楽の存続を考えるうえできわめて独特かつ模範的な例だ。

深刻な出来事が続発しているときに、サッカーの話などどうでもよいと思われるかもしれない。しかしながら、**サッカーという人気スポーツは、つねに世界の争点を映し出す鏡であり、一大経済活動であり、ルールが世界規模で決められる稀な活動の一つなのだ。**サッカーのルール適用は、イギリスのプロの有名クラブであろうが、セネガルのアマチュアの小さなクラブであろうが、同じように変更される。また、今回のパンデミック期間中のサッカーのあり方の変化からは、その他の興行に待ち受けるものだけでなく、社会全体の未来も窺える。

パンデミックが完全に、かつ急速に終息するのなら、うまくいけば二年後には元の状況に戻るのだから、今後の対策など考える必要はない。しかし残念ながら、おそらくそうはならないだろう。

パンデミックの終息が遅く、現在のソーシャルディスタンスという措置を維持する場合、アマチュアであれプロであれ、小さなクラブは、メンバーからの会費、そして地方共同体やスポンサー企業からの補助金が不足するため、存続の危機に晒されるだろう。

また、観客に互いに触れ合うことを禁止しておきながら、選手には触れ合うことを認めるとは思えない。ヨーロッパのサポーター連盟は、観客がスタジアムで観戦できない間は、有名クラブ同士の試合であっても試合中断の維持を支持すると表明したばかりだ。

そうなれば、サッカー界に残るのは有名クラブだけだ。これらのクラブは、無観客試合であっても試合を続けるための経済モデルを見つけようと覚悟を決めたようだ。

サッカー人気を牽引する有名クラブのおもな収入は、無観客試合のテレビ放映権だけになる。プロの有名クラブはこの路線を押し進める。試合を放送するメディアは有名クラブと一蓮托生する。

無観客形式であっても試合を魅力あるものにするために、選手の息遣いやボールを蹴る音が生々しく聞こえるよう、マイクとカメラが選手の間近に設置される。テレビの視聴者は選手に関するデータをこれまで以上に利用できるようになる。こうした取り組みは、すでに衛星放送事業者スカイ・ドイチュラントとブンデスリーガがドイツで五月一七日の日曜日から行っている。今後、ヴァーチャルな観客が試合のさまざまな場面で歓声を上げるようになるだろう。技術的に可能になれば、オンラインのテレビ視聴者の反応の程度に応じた歓声が、間髪を入れずにスタジアムに轟くことになる。三月にパリで行われたパリ・サンジェルマンFCの中断直前の無観客試合の際には、サポーターが歓声を上げるためにスタジアムの外に集結したが、こうした行動は新たな感染源をつくることにしかならない。今後、こうした行為は慎むべきだろう。

ビデオゲーム化するのか？

このような変化により、サッカーはますますビデオゲームに近い壮観なショーへと変わっていくだろう。ゲームはまさに、スポーツチャンネルの最大のライバルだ。消費者はおそらく、現実の選手が空のスタジアム（観客席は不要になり、じきに姿を消すだろう）でヴァーチャルな観客を前にプレーしているのを観るために有料視聴契約を交わすよりも、ゲームコントローラーを使って実在の選手に生き写しのキャラクターを操り、自分自身でプレーすることを望むようになるだろう。

言い換えると、プレーや観戦をできる権利が再び万人の手に戻るようになれば、サッカーの形態は元に戻るだろう。もしそうならない場合、つまり、**サッカーが無数のサッカーファンにとっての週末のスポーツでなくなる場合には、サッカーは現実よりもリアルなビデオゲームに取って代わられ、いずれ消滅するだろう。**

こうした予測は、命あるものが人工物に代わり続ける世界、そして個人と他者の間の境界線がさらに曖昧になることを意味するのではないか。そこで思い出すべきは、現代における最初の大型パンデミックの一つが、二〇〇五年に有名なオンラインゲーム「ワールド・オブ・ウォークラフト」のキャラクターたちの間で蔓延したことだ。これについては後ほど述べる。

サッカーの形態の変化は、その他の文化や興行、舞台芸術について多くのことを物語る。ライブ興行を早期に再開させるには、第一にソーシャルディスタンスを保つ必要がある。つまり、コンサートの観客数は減らされる。ソーシャルディスタンスを保つために、スポーツ選手の姿が消えたスタジアムがコンサート会場として利用され、観客同士の距離を確保する。

ソーシャルディスタンスの確保は、舞台演出のうえでも特別な制約となるだろう。学校、工事現場、レストランに対する規則と同様に、国がソーシャルディスタンスの規則を定めることにより、文化に親しむためのコストは増加しそうだ。

ヴァーチャル化とナルシシズム

サッカーの場合と同様、コンサートや演劇にお金を払ってきた観客に対しても、ヴァーチャルな催しが企画されるようになる。

バイオリン奏者や役者は自宅に居ながらにして世界に向けてリサイタルを開き、報酬を得られるようになるだろう。劇団やオーケストラも同様だ。劇場から得ていた収入は、インターネットやテレビの専門チャンネルでのライブ配信によって補われる。この場合、文化に親しむためのコストは低減するだろう。このようなビジネスモデルのいくつかは、すでに準備が進んでいる。

そして最終的には、サッカーの未来と同様の変化も考えられる。人々は自分自身で音楽や映像をつくることを好むようになるのだ。映画館やコンサート会場に足を運ぶ代わりに、事前に設定されたヴァーチャルな場で自らの作品を上演する。これは、ビデオゲームを通じてすでに可能であり、いずれ映画館に取って代わるだろう。これは他者のためというよりも、むしろ自己の満足のための行為であり、デジタル技術による自己偏愛へと向かう眩暈を催す変化だ。

市場が推奨する分野と企業

パンデミック後の成長分野には、健康、食糧、住宅、文化以外に何があるだろうか。

今日の株式市場の動向からすると、将来性のある部門は、娯楽、医療、大手流通、食糧、電子商取引、情報工学などだ。ウォール街では、これらの部門で活動する企業をいわゆる「ステイ・アット・ホーム〔自宅待機〕」株価銘柄としてひとまとめにしている。

そこには、ネットフリックス〔動画配信、DVDレンタル〕をはじめ、この危機から直接的な恩恵を受けた三三社が組み入れられている。アクティビジョン・ブリザード〔ゲームソフト〕、スラック・テクノロジーズ〔ビジネス向けチャットツール〕、ニューヨーク・タイムズ〔メディア〕、ソノス〔スマートスピーカー〕、アマゾン、アリババ〔いずれもIT、電子商取引〕、キャンベル・スープ・カンパニー〔食品〕、セントラル・ガーデン・アンド・ペット〔ペットフード、ガーデニング用品〕、テスラ〔自動車〕など、部門は多岐にわたる。

また、株価が上昇した次のような企業も「ステイ・アット・ホーム」関連といえるだろう。シトリックス・システムズ〔テレワークのためのデスクトップ仮想化ソリューション〕、ズーム（オンライン会議）、イルミナ（遺伝子の塩基配列読み取り、遺伝子型解析、遺伝子発現解析）、バイオマリン・ファーマシューティカルズ（バイオテクノロジー）、ネットイース（オンラインゲームなど）、テイクツー・インタラクティブ（ビデオゲームの製造販売）、エレクトロニック・アーツ（ビデオゲーム）、シスコシステムズ（インターネットネットワーク機器とサーバー）、インフィニオン・テクノロジーズ（半導体とICカード）、ウォルマート（大手流通）、JD.com（テンセントが保有する電子商取引のプラットフォーム）、ジュミア（アフリカの電子商取引の主要プラットフォーム）、イーベイ（電子商取引）。

市場では満たせない莫大な需要：「命の経済」

株式市場においてこの危機の勝ち組となった部門の向こう側には、危機によって明らかになった大きな需要がある。これらについてはすでに詳述した。私が本書で「命の経済」と名付けた需要である。

「命の経済」は、さまざまな形で、直接あるいは間接に、誰もが健やかに暮らせるように尽力するすべての企業をまとめたものである。

「命の経済」の範囲はきわめて広い。健康、疾病予防、衛生、スポーツ、文化、都市インフラ、住宅、食糧、農業、国土保全だけでなく、さらには、民主主義の機能、安全、防衛、ごみ処理、リサイクル、水道配水、再生可能エネルギー、エコロジー、生物多様性の保護、教育、研究、イノベーション、デジタル通信技術、商取引、物流、商品配送、公共交通、情報とメディア、保険、貯蓄と融資などが含まれる。

デジタル技術の導入とジェンダー不均衡の是正

つい最近まで、これらの部門はおもに人海戦術と奉仕によって担われてきたため、（機械化による生産性の向上によってしか）大きく成長する余地がなかったが、現在は技術革新（とくにデジタル技術）によって生産性を飛躍的に向上させることのできる企業も参入するようになった。したがって、このような企業が供給能力を向上させ続け、これらの部門の使命を果たすことになる。とりわけ、すべての根幹として重要な教育部門では、大きな変化が期待できる。

これらの部門は相互に結びついている。健康は衛生とデジタル技術を前提とし、デジタル技術は教育にとっても有用である。食糧は農業を前提とし、農業は国土整備と商取引の見直しを前提とする。これらのどの部門においても、研究、安全、民主主義なしに持続的な活動は望めない。

「命の経済」がおもに関与する部門は、自宅待機令以前も自宅待機中も、大部分を女性が担っている。したがって、「命の経済」はキャリアの平等性の回復においてきわめて重要だ。自宅待機令によってこの問題の緊急性が確認されたが、改善の動きはなかった。

地球規模の問題に地域レベルで対処する

地球温暖化対策や環境保護を確約するのは「命の経済」に他ならない。

今日、「命の経済」の部門のGDPと就業者数が国全体に占める割合は、国によって四〇%から七〇%だ。アメリカではGDPのおよそ五八%、EUでは五六%、日本では五一%だ。この割合を八〇%にまで引き上げる必要がある。「命の経済」の部門を成長させることは、始まったばかりの不況から永続的に抜け出すための最良、最速の手段になる。

この実現に向けて次のような取り組みが必要になる。世帯では、健康、食糧、教育、文化、住宅に割く予算を増やす。雇用主は、これらの部門で働く人々の報酬と社会的地位を引き上げる。銀行、株主、国は、「命の経済」の部門で活動する企業（大企業だけでなく中小零細企業も）を優先的に支援する。

「命の経済」の各部門では、いかなる国であっても外国に過度に依存する状態であってはならない。よって、国レベル、ヨーロッパならEUのレベルにおいて、一定の自治の確立に留意しなければならないだろう。

「命の経済」への転向

「命の経済」以外の部門で活動する企業を転換させることも必要だ。これらの企業は現在、自分たちの市場が過去の活況を取り戻すのを待っているが、それは幻想だろう。**自動車、航空機、工作機械、ファッション、化学、プラスチック、化石燃料、ぜいたく品、観光などの部門で活動する企業が過去の市場を取り戻すことはないだろう。**たとえワクチンと治療薬が今すぐに見つかったとしても、あるいはパンデミックが自然消滅したとしても、あらゆる物事が均衡を取り戻すには少なくとも二年はかかる。そのときまでに、これらの企業の多くは死に絶えるだろう。そして消費者は別のモノを欲しがるようになる。

しかしながら、これらの企業に死刑判決が下されたのではない。経営陣と労働組合は一致団結して、「命の経済」において、これまでとは異なる方法で同じサービス、あるいはまったく別のサービスを提供する道を模索しなければならない。経営戦略を抜本的に見直す覚悟があるのなら、どの企業にもこの難局を乗り切るための能力はあるはずだ。

蒸発する航空需要

航空機産業は、経営方針を変えない限り生き残れないだろう。航空機の受注と納入は低迷し続けるはずだ。航空機産業は、「命の経済」の一つ、あるいは複数の部門（とりわけ医療機器製造）に投入できる莫大な技術を保有している。

航空会社はさらに苦しむ。三月、エア・カナダは社員の五〇％から六〇％、六月、カタール航空は社員の二〇％を一時解雇すると発表した。七月初め、ユナイテッド航空は従業員の四五％は解雇せざるを得ないだろうと述べた。

一部の航空会社は、運航再開前から解決策を見出そうとしている。たとえば、エミレーツ航空は全乗客に検査を受けさせ、出発の二、三日前から隔離生活を送らせる取り組みを始めた〔さらに、乗客が渡航先で新型コロナウイルスへの感染が確認された場合には医療費と隔離費用を負担すると発表している〕。だが、二六席をわずか四人の乗客が利用する搭乗率で生き残れる航空会社は存在しないだろう。とくに格安航空会社は、消滅する可能性がかなり高い。

飛行機での出張を大幅に減らす必要があるが、自宅待機令の経験から判明したように、これは可能だ。そして、観光には飛行機以外の交通手段を利用すべきだろう。

観光業を救え

世界では三億三〇〇〇万人以上が観光業で働いている。観光業が世界のGDPに占める割合は一〇%以上だ。二〇一五年から二〇二〇年にかけて世界で創出された雇用の四つに一つは観光関連だった。ヨーロッパの観光業は世界の五一%を占め、ヨーロッパのGDPに観光関連業が占める割合は一〇%だ。国によっては三〇%から五〇%にも達する。つまり、観光業は巨大産業なのだ。

二〇二〇年三月の世界の観光客の数は、パンデミックのために前年同月比で五七%減になり、二〇二〇年は前年比で六〇%減から八〇%減になるという。それゆえ、一億人分以上の雇用が消失する恐れがある。観光業の失速は、間接的に農業や家内工業など多くの部門にも影響をおよぼすはずだ。

観光関連業という巨大部門を倒れるに任せれば、それ以外の部門が復活したとしても、世界経済が非常に深刻かつ長期の低迷から抜け出すことはできないだろう。よって、観光業を見捨てることは論外だ。なんとしてでも観光業を救わなければならないのだ。

持続可能な観光とは

観光業が生き延びるには、再編が必要だ。

そもそも、たとえば毎年一〇億人の観光客がイースター島を訪れることができないのはすでに自明だった。また、人気の観光地は将来的に入場制限をする必要があることも明らかだった。観光地は、環境、文化、社会の面で持続的でなければ、経済的にも存続できないと認識すべきだろう。観光都市では、過剰な観光客がパンデミックの被害拡大をもたらしたことが判明した。観光業は環境の敵になった。しかもそれは、エネルギー消費だけが理由ではない。

たとえば、人口およそ二六万人のヴェネチアには、毎年およそ三〇〇〇万人の観光客が訪れていた。これはヴェネチアの人口のおよそ一一五倍に相当する。ヴェネチアは巨大なホテルのような街になり、住居費は高騰し、観光業以外の雇用がないため、地元民は引っ越しを余儀なくされた。

ヴェネチアは他の類似の観光地と同様に、受け入れる観光客の数を大幅に減らさなければならないだろう。ラスコー洞窟〔フランス西南部にあり、先史時代の洞窟壁画で有名な観光地〕のように、近くの場所に完璧なレプリカをつくることも検討課題だろう。アメリカや中国では、すでにこうした取り組みが始まっている。

また近場の観光が増加するだろう。中国ではコロナウイルス感染症が収束すると国内旅行がすぐに復活し、二〇二〇年五月一日前後の五日間の休暇中〔労働節〕に、一億一五〇〇万人が国内旅行に出かけた。

高齢者施設への転用

商業施設をともなう大きなホテル、そして巨大なバカンス村やキャンプ場では、観光客の密接と密集によって集団感染が促進される恐れがある。これまでそうした大型施設を利用していた人々もこれらの施設を敬遠するだろう。

宿泊施設の規模は五〇室程度が目安になるだろう。既存のホテルの一部は、改装した後に、先進国の高齢者向けの長期滞在施設として利用できるかもしれない。冬は暖かいところで過ごしたいと希望する先進国の高齢者は、家族とのヴァーチャルなコミュニケーションにも慣れている。高齢者の宿泊施設として利用できれば、スペイン、ポルトガル、イタリア、ギリシア、スイス、アドリア海沿岸の国々、そしてフランスのかなりの地域にある観光施設は生き残れるかもしれない。

医療サービスへの転進

高級ホテルも健康関連サービスへと転換するだろう。一部の高級ホテルは、すでに「隔離者向け宿泊プラン」や、スイートルームなどを利用する「特別自主隔離室」を打ち出して営業停止命令を回避した。パンデミック時には濃厚接触者を最低でも二週間隔離するために、今後も即時に多数のホテルの部屋が利用されるだろう。

このようなホテルの利用は著しく増えるだろう。

「ザ・パークレーン香港 ア・プルマン・ホテル」は、検疫隔離中の顧客だけが宿泊する専用フロアを設け、一六〇〇ドルの「検疫隔離パッケージ・プラン」を販売した（八月時点では二週間食事付きで一万九三二〇香港ドル、二四〇〇米ドル相当）。

スイスのホテルチェーン「ル・ビジュー・ホテルズ」は、自主隔離を望む顧客に対して消毒済みのワンルームマンションやスイートルームでの長期滞在（二週間以上）プランを提供した。宿泊中、従業員との接触は一切なく、すべてのサービスはデジタル化されている。健康上の心配がある場合や新型コロナウイルスの検査を受けたい場合、宿泊客はこのホテルと提携している民間の医療施設のきめ細かな医療サービスを受けることができる。

オーストラリアでは「ノボテル・シドニー・ブライトン・ビーチ」がウイルス除去と先鋭的なソーシャルディスタンスを導入して営業を続行している。

宿泊施設では、ぜいたく、健康、フィットネスに関する各種サービスに加え、安全と感染リスクの防止が決定的な付加価値になるだろう。

また、今回の危機では、感染者の家族が病院の近くで滞在する施設が著しく不足していることや、老人ホームのサービスの質がホテルと比較するとしばしば恐ろしく劣ることも判明した。これもまた、ホテル業や観光地にとって成長が見込める新たな道筋だ。

地域経済を支える観光業

最後に、観光はエコロジーを学ぶ場になる必要がある。多くのホテルチェーンの経営陣はこのことをすでに理解している。観光業の変革には、ある程度の時間がかかるだろう。観光業がこれらの変化を実現させていく間も生き延びるには、手厚い公的支援が必要になる。観光業の支援は国の関心事だ。なぜなら、国は地域を支える戦略的な経済活動が死に絶えるのを見過ごすわけにはいかないからだ。

このパンデミックが自然消滅するのを待つことはできず、次回のパンデミックまで過去の悪習を踏襲できない以上、変革するしかない。

環境保護の原動力になる「命の経済」

「命の経済」に含まれないあらゆる部門は、環境の最大の敵だ。自動車、航空機、化学、プラスチック産業などである。しかし、これらの部門は経営方針を転換することによって「命の経済」に活躍の場を見出すことができる。

これらの部門は、環境保護と気候変動の抑制に大きな影響をおよぼす重要な存在である。また、化石燃料を最も節約できる部門でもある。

とくに、「命の経済」の中核をなす生態系の保護は、感染症の拡大を抑え込むために必要不可欠だ。事実、森林ならびに野生動植物種の生息域の破壊は、病気が蔓延するリスクを高める。国土計画に関連する法整備により、生物多様性を保護し、野生動物を適切に扱い、有機農業を具体的に発展させ、土壌の人工化を阻止しなければならない。

第七章
パンデミック後の世界はどうなる？

非常に多くの人々が、元の世界に戻りたいという切実な願いを抱いて今回の危機を脱するだろう。その心情は理解できる。監視されたり、子供扱いされたりすることのなかった世界に戻りたいと願う人は多いはずだ。

失業した人、商売が台無しになった人、作業場を失った人は、危機以前の暮らしと生活水準を取り戻したいと渇望するに違いない。彼らは憧れの車を買いたがるだろう。旅行好きの人は、その喜びを再発見したいと思い、再び世界各地を旅したいと望むだろう。

多くの企業経営者は、自分たちの企業活動に影響を与えたパニックはもう終わったと安堵し、危機以前の生産量と利益率を回復させようとするだろう（だが、彼らには新たな従業員を雇ったり、これまでとは別のモノを違ったやり方でつくったりする考えはない）。

多くの政治指導者は、危機以前の支持率を取り戻そうとするだろう。その一方で、緊急時だからこそ得られたと思われる暫定的な権力を保持することも試みるだろう。

それとは逆に、ノスタルジーを抱いてこの自宅待機から抜け出す人々もいるだろう。それは、隔離中に自分自身のリズムで働き、孤独を慈しみながら過ごし、あわただしい生活のなかに生まれたこの休息に価値を認めた人々だ。今回の危機で収入や年金が見直されることはなかったのだから、彼らは恵まれている。

一方、自宅隔離を地獄のように過ごした多くの人々は、これまでとは異なる会話、友人、空間、愛情を見出したいと願うだろう。

多くの職業は存在意義を失い、非情にも突如として失業者になった数千万人は自己改造を強いられるだろう。多くの国ではあまりに影響が大きく、抜本的な改革を断行しない限り、危機以前の生活水準を短期間で取り戻すことなどとうてい望めない状態になるだろう。多くの民主主義は、私が後ほど述べる「闘う民主主義」を生み出さない限り、今回の苦難によって徹底的に痛めつけられて消滅するかもしれない。

元の世界に戻りたいと願うのは、次に人類を襲う大きな災難からさらに深刻な影響を被ることであり、次のパンデミックへの準備、そして、気候変動がもたらす次の大惨事への準備を怠ることを意味する。これは、民主主義への死刑宣告に等しい。もしそうなれば、民主主義は、その原則と実践に対する新たな攻撃から立ち直れないだろう。

なぜなら、パンデミックなど、今後もさまざまな性質の出来事が起こり得るからだ。今回と同規模の、そして、さらに深刻な衝撃に襲われる恐れがある。しかも、次々に。それらの出来事により、われわれの経済、自由、文明は崩壊するかもしれない。

サイエンス・フィクションから学ぶ

これらの出来事を予測して阻止するには、単なる見通しを超えて、あらゆる想像力を駆使しなければならない。

過去から教訓を見出して同じ出来事の再来に備えるだけでなく、予期せぬ未知の出来事への備えも必要だろう。そうした準備には通常の数値分析よりも、突拍子もない分析のほうがはるかに役立つ。つまり、**経済学の入門書よりもサイエンス・フィクション（SF）のほうが有益かもしれない**のだ。

サイエンス・フィクションの多くの書籍や映画は、昔から人類にとっての脅威を語り、われわれに未来を占う手段を提供してきた。パンデミックに関する作品のなかから、ほんの少しばかりを次に紹介する。

メアリー・シェリーのSF小説『最後のひとり』〔森道子ほか訳、英宝社、二〇〇七年〕、ジャン＝ピエール・アンドルヴォンのSF小説『Le monde enfin』、ダニー・ボイル監督のSF映画『28日後…』、マーク・フォースター監督のSF映画『ワールド・ウォーZ』、デオン・マイヤーのSF小説『Koors〔仏題：L'Année du lion、英題：Fever〕』、ラッセル・T・デイヴィス制作・脚本のテレビドラマ『Years and Years』、スティーヴン・ソダーバーグ監督のSF映画『コンテイジョン』などだ。

また、パンデミックの脅威以外にも人類のサバイバルに関する作品はたくさんある。たとえば、リチャード・マシスンの古典的名作『I Am Legend』〔『地球最後の男』田中小実昌訳、早川書房、一九七七年、『アイ・アム・レジェンド』尾之上浩司訳、早川書房、二〇〇七年〕、あまり知られていないがバーナード・ウルフのSF小説『Limbo』、そしてつい最近出版された劉慈欣《りゅうじきん》のSF小説『三体』〔大森望ほか訳、早川書房、二〇一九年〕だ。劉慈欣はこの三部作〔『三体』を第一部とする「地球往事」シリーズ〕において、異星人が四五〇年後に人類を滅ぼしにやってくると知った人類の反応を描く。

紹介した以外にも多くのサイエンス・フィクションがこれまでに私の想像力を養い、また、今も養い続けてくれている。

私は、経済や政治科学のどんな評論よりもこれらの作品からはるかに多くのことを学んだ。

サイエンス・フィクションを通じて、私は枠にとらわれずに考えることを学んだ。意外なところに光ある道筋と闇の道筋を探すことを学んだ。

また、私はサイエンス・フィクションを通じて、最悪の事態を避ける最良の方法は備えること、そして愛することだと気づいた。

「ゲームオーバー」になる前に

テレビゲームや各種オンラインゲームからも大いに学べる。

たとえば、バグが一週間のうちに制御不能のパンデミックの場へと変容してしまったオンラインゲーム「ワールド・オブ・ウォークラフト」だ（ゲームの要素として導入され、特定のエリア内にのみ影響をおよぼすはずだった「Corrupted Blood（穢れた血）」という感染症が、ゲーム内の「ペット」など、想定外のキャラクターを通じて広範囲に拡散した）。これはゲーム内だけの出来事だったが、このパンデミックはあまりに複雑であり、事態の成り行きを予想できた者は誰もいなかった。結局、ゲームの開発者たちはこのパンデミックを終息させるためにゲームのサーバーをリセットせざるを得なかった。

この例から言えることは一つ。現在のパンデミック、そして(予測可能性の有無を問わず)将来訪れる脅威を前に、われわれは人類の電源を切ってリセットすることなどできない。われわれは現実の危機に対処しなければならないのだ。願わくは、人類がもっと賢く、社会正義に敏感で、より自由で、そして将来世代の行く末に思いを馳せるようになってほしい。

そのためには、われわれを待ち受ける最悪の事態を予測することから始めるべきだ。最悪の事態に備え、それを回避するためである。

未来のパンデミック

衰弱する民主主義

第一に、現在のパンデミックが今後どのような経過を辿るのかは、まだ誰にもわからない。すべては、外出禁止後の措置の効果、ワクチンの開発と配布、ウイルスに起こり得る変異にかかっている。現状からは、第二波が来る可能性は充分にあり、集中治療室の患者数が一定のレベルを超えた際に発せられる、新たな外出禁止措置の準備（いつそうなるとも限らない）を覚悟しなければならないことが考えられる。

外出禁止措置を打ち出すたびに、経済、社会、政治の面に衝撃が生じ、それらが現在の惨状に新たな災難として加わるだろう。とくに、今回のパンデミックによって疲弊し、そして（比喩ではなく文字通り）犠牲になった医療従事者が同様の事態の再来に耐え抜くことは、さらに困難になるだろう。彼らは非常に勇敢かつ献身的に、力と技能を尽くして今回のパンデミックに立ち向かった。

そして消耗した民主主義は、社会がこれまで以上にあっけなく独裁者になびくことを容認するのではないだろうか。そうなれば、監視の必要性が叫ばれ、そのためのあらゆる法律が制定される。そのような社会では、どのメディアも真実を語ることより、噂を流すことに関心をもつだろう。そしてメディアは、彼ら自身が台頭を後押しする独裁者によって、言論の自由を奪われることになるだろう。

世界規模の法の支配

現在のパンデミックが過ぎ去っても、別のパンデミックが訪れるだろう。その可能性は高いとさえいえる。それがいつのことなのかはわからないが、今日と同程度の愚策をもって備えようとするのは重大な過失だろう。

まず、H5N1インフルエンザウイルスの新たな亜型の出現を回避することは難しいと思われる。中国の生鮮市場において、微生物が繁殖する排泄物の処理に無頓着のまま生きた野生動物の販売を続けるのなら、またしても中国がその流行の発生地になるだろう。本書の第一章で紹介したように、一九六九年のH3N2亜型インフルエンザウイルスのパンデミック〔香港風邪〕は豚、二〇一三年のH7N9亜型インフルエンザウイルスのパンデミックは鳥類から広まった。今日の新型コロナウイルス感染症もおそらく野生動物由来だろう。

しかしながら、現在の危機により、アジアとヨーロッパでは大規模飼養場における慣習の変革を迫られ、家畜伝染病の発生に対してより厳格な監視が義務付けられることが期待できる。動物からヒトへの感染を防ぐには、世界規模の法の支配を確立し、これを遵守させる手段をつくり出す必要がある。

疫病以外の脅威に対しては、このような法律は存在する。しかし、法律は世界規模の統制手段があってこそ効果を発揮する。それが世界規模で機能している唯一の分野は、核兵器と化学兵器が拡散する脅威に対するものだ。

さまざまなパンデミック

また、人類の大部分は、コレラの再流行に対して無防備である。コレラは感染力の高い疾患であり、環境（水）とヒトとの接触から感染する。コレラに対して万全の備えのある者は誰もいない。

われわれの命は、致死性微生物に汚染されている疑いのある食用植物にも左右される。病原性微生物を含む食物を食べることによって発症する可能性のある病気が二〇〇種類以上あるという。毎年、病原性微生物で汚染された食物を食べて六億人が病気になり、そのうち四二万人が命を落とす。

二〇一一年、フランスとドイツでは植物性製品の汚染が原因といわれる集団感染が突如として発生し、三五〇〇人以上が感染した〔腸管出血性大腸菌Ｏ１０４集団感染事件〕。

イギリスとアメリカでも、病原性微生物による植物の汚染が過去一〇年以内に発生している。似たような原因でさらに大規模な感染が発生する可能性もある。

　こうした感染症を避けるうえでも、世界規模の法律を制定する必要があるだろう。畑と菜園、そして輸送、貯蔵、保存、加工、販売のシステムに対して整合性のある衛生基準を課す法律と、それらを遵守させる手段をつくり出す必要がある。

バイオテロ：悪意による感染症

テロリスト、犯罪組織、狂信的な集団が病原菌やウイルスを意図的に散布するバイオテロの恐れも考えられる。用いられる可能性のあるとくに危険な病原体は、炭疽菌、ボツリヌス菌、天然痘ウイルス、出血熱ウイルスだ。バイオテロが予告なしに実行されれば、病原体は空港や地下鉄の車両内にたちまち拡散し、予防的な対応はほとんど不可能だろう。

　ソ連崩壊後、保管されていた病原体の一部がさまざまなテロ組織の手に渡った恐れも排除できない。また、この種の病原体の製造は、技術的にそれほど難しくない。

　このような攻撃に備え、アメリカをはじめとする多くの国々は、病原体の検出方法と早期警戒システムを確立した。

　これらの兵器の利用は、国際条約（現在、一八二ヵ国・地域が締約する生物兵器禁止条約）

によって禁止されているが、条約の規定が遵守されているかを確認する体制は用意されていない。すなわち、この国際条約はまったく役に立っていないのだ。

サイバーテロ

サイバーテロによって経済活動が破壊される恐れがある。未来のおもな脅威の一角をなすサイバーテロは、人間を直接の標的にすることもある。

人々が機器との「接続」をますます深めるなか、心臓ペースメーカーだけでなく、今後開発される人工装具（体内埋め込み式の器具〔人工内耳など〕、電池、血流を制御するナノロボット）が攻撃されるのだ。

これらの人工装具は発展している。たとえば、サイバーキネティクス社〔アメリカのベンチャー企業〕などの企業は、脳の電気信号をリアルタイムで読み取る埋め込み型機器〔義肢やコンピュータを操作することができる〕を開発している。インテルは、キーボードやマウスを使わずにコンピュータを操る電子神経チップをまもなく商品化する予定だ。

これらのデジタル人工装具に対する攻撃実験はすでに行われている。二〇一〇年、イギリスの医師マーク・ガッソンは、自身の左腕に埋め込んだＲＦＩＤ〔無線通信によってデータを読み書きするシステム。商品の盗難防止タグや交通機関の乗車カードなどに使われている」チップを「コンピュータウイルスを使って」故意に攻撃した。

テロリストやシークレットサービスは、離れた場所から心臓ペースメーカーの電池を枯渇させたり、利用者を死に至らしめるほど放電させたりすることができるという。また、パーキンソン病やてんかんの患者の脳に埋め込まれた神経刺激装置をハッキングするなどの工作も可能だろう。体内に埋め込まれた人工装具を本来の用途とは異なる形で悪用し、たとえばホルモンを過剰に放出させて人体に有害な影響を引き起こすなどの悪事が考えられる。

エコロジーの課題

予見可能であり、対策が必須であるパンデミックと同様に、今後のエコロジー（生態環境）災害に対する準備も必要だ。エコロジー災害はパンデミックとは異なり、すでにその実態が詳細に確認でき、回避するには何をなすべきかがよくわかっているだけに、すぐに対策を始められるはずだ。

すでに始まっている災害

エコロジー災害はすでに発生している。世界では一〇人に九人が汚染された空気を吸っている。WHOによると、世界では毎年一二〇〇万人以上が環境問題に関連する原因（大気や水の汚染、化学物質への曝露、気候変動）で死亡しているという。

ごみの量の増加や、サンゴ礁の破壊、生物多様性の減少などが心配されているのは、われわれがよく知る通りだ。何の対策も講じなければ、二〇五〇年、海には魚の量よりもプラスチックごみの量のほうが多くなるという。

毎年、八〇〇万トン以上のプラスチックごみが海洋に流れ出ている。二〇五〇年までには、すべての海鳥がプラスチックごみを定期的に体内に取り込むようになる恐れがある。しかも現在の公衆衛生の危機により、清潔を理由に使い捨てプラスチック製品の利用が拡大し、プラスチックの利用削減に向けた動きに終止符が打たれるかもしれない。フランスでは、今回の危機が始まってから、プラスチック関連産業の五〇%が生産量を増やした。

世界のプラスチックの生産量は、五年後には三倍、二〇五〇年には五倍になる見込みだ。

大気、水、食の危機

二〇五〇年には、土壌劣化により世界の農業生産量は平均一〇％ほど減少するかもしれない。アフリカなどの地域では五〇％まで減少することも考えられる。

さらに、森林をはじめとする土地が劣化するにつれて、大気の均衡にとって必要不可欠な自然の炭素吸収源は消滅する。

その一方で、気候変動も加速している。

二一〇〇年には、地表の平均温度は四℃以上上昇する恐れがある。二〇二〇年初頭からのフランスの平均気温は、一九八〇年から二〇二〇年までの平均よりも二℃以上も高く、二〇世紀初頭に観測を始めて以来の最高値となっている。エコロジー改革を加速させなければ、世界の平均気温は今世紀末までに七℃上昇するかもしれない。もしそうなった場合、二〇五〇年には少なくとも年に一回、三億人の人々が洪水に見舞われ、二一〇〇年までに海面水位は少なくとも一・一メートル、最も悲観的な見通しでは二メートル上昇すると見込まれている。

何の対策も講じなければ、自然災害もその頻度と激しさを増すに違いない。湿った地域では降水量が増えることによって嵐が頻発し、乾燥した地域では降水量が減ることによって深刻な干ばつに苛まれるだろう。二一〇〇年、世界人口の七五％は命を脅かすほどの猛烈な熱波に襲われるだろう。

こうした気候変動により、土壌の劣化がさらに進み、世界では充分な食糧を確保できなくなるかもしれない。

淡水の汚染は飲料水の水源を脅かすため、最も脆弱な地域では水ストレス〔水需給の逼迫度〕と飲料水の不足が悪化するだろう。

エコロジーに関する争点は紹介した以外にも、さまざまなものがある。とくに、懸念されるのが生物多様性の脅威だ。この脅威の増大によって、われわれの文明は崩壊し、人類は滅亡し、新たな大量絶滅の時代が訪れるかもしれない。多くの人々はこうした事態を恐れるが、逆に望む者たちもいる。

いずれにせよ、エコロジーの脅威はまもなく経済的に大きな影響をもたらすだろう。さまざまなアナリストたちが、二〇三〇年には地球温暖化の影響だけでも世界のＧＤＰは三％減少する恐れがあると示している。

わかっていながら行動しない

このような事態に直面しながら、われわれはたいしたことはしていない。二酸化炭素を排出するエネルギー源〔化石燃料など〕の使用量を大幅に削減しなければならないことはわかっている。そのためには相当な努力が必要だ。二〇一六年に発効された、温室効果ガスの排出量削減を目指すパリ協定がほとんど遵守されていないことは明らかだ。パリ協定の目的は、二一〇〇年までに世界の平均気温の上昇を産業革命前比で二℃未満に抑え、一・五℃未満を目指すことだった。

パリ協定の目的を達成する可能性を少しでも高めるには、二〇四〇年までに一次エネルギーの七五％近くを非化石エネルギーにする必要があるだろう。そのためには、発電に使用されるカーボンフリー〔二酸化炭素を排出しない〕の電力供給源の割合を大幅に増やす必要がある。しかしながら、二〇二〇年の世界のエネルギー消費に占める化石エネルギーの割合は依然としておよそ八〇％と大きく、世界の最終エネルギー消費に占めるカーボンフリー電源の割合は一二％でしかない。

国連環境計画（ＵＮＥＰ）によると、パリ協定の参加国がこれまで行ってきた〔制約のない自主的な〕取り組みだけでは地球は温暖化し、世界の平均気温は今世紀末までに三・二℃上昇するという。

ほとんどの国の取り組みが不充分であることを示す、もう一つの顕著な例を紹介する。パリ協定の締約国は、グラスゴーで二〇二〇年一一月に開催される予定だったCOP26〔第二六回国連気候変動枠組み条約締約国会議〕（パンデミックのため二〇二一年に延期）のため、二〇二〇年二月九日までに地球温暖化対策への自国の分担リストを国連に提出することになっていた。ところが、この提出期日を守ったのは、マーシャル諸島、スリナム共和国、ノルウェーのたったの三ヵ国だった。これらの国が排出する温室効果ガスの割合は、世界全体のわずか〇・一％未満だ。パリ協定は二〇二〇年秋に予定されているアメリカの離脱によってすでに崩壊寸前の状態であるが、他の参加国の熱意のなさまでもが明白となっている。

プラスチックの使用の制限、ごみの削減、リサイクルの推進、サンゴ礁の保全、海洋保護区の拡大、農業における有害な化学物質の利用の削減などについても、本格的な対策は一切打ち出されていない。

地球温暖化がパンデミックを引き起こす

生態系の変化がおよぼす影響は多岐にわたる。その一つは、パンデミックの発生リスクが高まる可能性があることだ。多くの感染症は、平均気温と湿度の上昇、ごみの増加、海洋汚染によって悪化するだろう。

気温が上昇すると、ヒトの免疫反応は低下することがあるため、インフルエンザの流行が起こりやすくなる可能性がある。実際に、地球温暖化とともにインフルエンザは年中流行するようになるかもしれない。そうなると、インフルエンザウイルスが変異するための時間が増えることになる〔同じ型に属する複数株のインフルエンザウイルスが一つの細胞に同時に感染すると、そこでウイルス同士の遺伝物質が混じり合い、新たなウイルス株が出現することがある〕。

蚊の生息域拡大と永久凍土の融解

地球温暖化によって蚊の生息地が大きく変化するだろう。その結果、新たな種類のパンデミックが発生する恐れがある。とくに問題となるのは、デング熱、チクングニア熱、ジカ熱を媒介するヤブカ属の蚊だ。アフリカと東南アジア原産のこれらの蚊の生息域は、北に拡大し、定着するかもしれない。それに加え、ハマダラカ属の蚊は、ヨーロッパでは一世紀にわたって終息していたマラリアを再燃させる恐れがある。

すでにヒトスジシマカ〔ヤブカ属の一種。日本でも一般に見られる蚊で、第二次世界大戦中にデング熱の流行に関与した〕の生息域は北上している。二〇〇四年以前はフランス本土に生息していなかったこの蚊は、今日ではフランスの〔一〇一あるうちの〕五一の県で存在が確認されている〔日本でも分布域は拡大している。かつて栃木県や新潟県が北限とされたが、二〇〇〇年代以降の調査により、北限が徐々に移動していることが確認された。二〇一五年には青森県でもヒトスジシマカが捕獲されている〕。

蚊が危険であることはわかっている。すでに、世界では蚊の媒介する病気によって毎年一〇〇万人が死亡している。これは新型コロナウイルス感染症による現在までの死亡者の数よりも多い。犠牲者はとくにアジアとアフリカで多く、これからも増えるだろう。今後、ハマダラカの幼虫の理想的な生息場所である水田が増えることは〔食糧増産のため〕必至であるだけに要注意だ。

二一〇〇年までに世界の平均気温が四℃上昇した場合、最大で一〇億人近くの人々がこれらの蚊に脅かされる恐れがある。とくに、ヨーロッパで蚊が媒介するウイルスに晒される人々の数は倍増するといわれている。

そして世界の平均気温が上昇すると、二一〇〇年までに地表の永久凍土〔二年間以上にわたって継続して凍結している地盤〕の面積が七〇％失われるかもしれない。ところが、永久凍土に含まれるウイルスと病原菌は完全に感染力を失っているわけではないため、氷が溶けることで、終息したと思っていた感染症が息を吹き返すかもしれない。この可能性については何もわかっていない。

蚊の問題に関しても、本格的な対策はまったく講じられていない。われわれは数年前のマスクの生産で犯したのと似た不注意を繰り返すことにさえなる。というのは、蚊が媒介するパンデミックを阻止するために欠かせない蚊帳の生産が〔今回の危機による自宅待機令や移動制限の影響で」インドで中断され、ベトナムでも大幅に減少したからだ。そして蚊から身を守るためのもう一つの主要な手段である滞留水の排除は、計画通りに進行していない。

政治危機という陰鬱なパンデミック

自由よりも安全を優先する社会

こうした事態に加え、われわれが最後に心配すべきは陰鬱な政治的風潮というパンデミックだろう。この世の終わりという雰囲気が漂うなか、独裁政治は外国人排斥と絶対権力を堂々と唱えるスローガンを掲げて現れるに違いない。独裁政権の支持者たちは、何の根拠も示さずに、次のように言い放つだろう。

「民主主義ではこれまでの危機は解決されなかった」、「国境は封鎖すべきである」、「外国人は誰であれ脅威だ」、「すべてを自国で生産すべきであり、外国を頼りにすべきではない」、

「国内と国外の、敵だと認められる者たち全員に対して武装して立ち向かわなければならない」。

独裁政治が理想とするのは、誰もがあらゆることを監視される社会であり、全員の健康状態や行動などが知れ渡る社会、民主主義を軽視する社会だ。そのような社会では、メディアは娯楽と権力のプロパガンダの場でしかなくなるだろう。

すでに多くの国では独裁政治の状態にある。この先、パンデミックが新たに発生すれば、独裁政治は拡大するのではないだろうか。世界中の多くの国で大勢の人々が独裁政治を受け入れるかもしれない。なぜなら、パンデミックにより、人々は**他者を警戒するようになり、他者への監視と引き換えに、自身が監視されることも容認するようになる**からだ。**恐怖のもとではつねに、自由よりも安全が優先されるようになる。**

そしてソーシャルディスタンスとマスクにより、他者の人間らしさが感じられなくなり、他者の運命に無関心になることもその一因かもしれない……。

これらは決して、非現実的な脅威ではない。これまでに紹介したように、ヨーロッパの多くの国でも民主主義にはすでに疑問符がつけられている。民主主義が脆弱な状態にあること、そして、現在の形態では世界の課題に対処できないことは明らかだからだ。

忍び寄る独裁政治

われわれが世界の平均気温のゆっくりとした上昇に気づかないのと同様に、全体主義は、ときに独裁者の存在なしに、社会体制が急変することもなく、特別な告知もなく、自分たちのことをまだ民主主義者だと思いながらも、そうではなくなっていく政治家たちによって支えられ、勢力を拡大し続けるだろう。政治家たちはまず、目立たない利益集団に仕えるだろう。その後われわれは、民主主義を自称し続ける新たな形態の独裁体制の存在に気づくだろう。このように全体主義が民主主義を装うことに対して、ほとんど誰もその妥当性に異議を申し立てないだろう。今日、この形態はあまりに軽々しく「民主独裁制」とも呼ばれている。

さらにひどいことが考えられる。自然に対してあまりにも多くの害を与えるという理由から、人類の滅亡を願う人々の集団が現れる可能性だ。これはオンラインゲーム「ワールド・オブ・ウォークラフト」でのパンデミックにおいて、他者を感染させることに楽しみを見出した人々とも少々似ている。あるいは、あまり苦しまないように自殺を選択しようとする、不治の病の患者にも似ているかもしれない……。

結論
「闘う民主主義」のために

このような状態が続けば、騒乱に向けて一直線に進むことになる。その原動力になるのは中産階級だろう。犠牲になるのは、最貧層と中産階級だろう。このような状態が続けば、独裁国家の思う壺だ。彼らは未来への準備を進めている。

たとえば、中国は巧妙に選ばれた七つの部門に焦点を合わせた計画を打ち出したところだ。その部門とは、５Ｇ（第五世代移動通信システム）、インターネット、都市間を高速で結ぶ交通手段、データセンター、人工知能、高電圧エネルギー、電気自動車の充電技術だ。これらは国民への監視強化を可能にする部門であり、石油を輸入しなくても発展可能な部門だ。

アラブ首長国連邦も六つの部門に注力する計画を発表したところだ。健康、教育、経済、食品衛生、社会生活、行政だ。

将来世代を危機から守るには

状況を改善できるかどうかは民主主義にかかっている。できる限り迅速に行動しなければならない。

そのためには、民主主義国家はこれまでに述べた「命の経済」を発展させる必要がある。「命の経済」には、報道の自由と教育など、民主主義の道具が含まれている。

現世代は将来世代の利益を考慮しなければならないだろう。われわれは自分たちの過ちによって今日の子供たちが一〇歳のときにはパンデミックに、二〇歳のときには独裁政権に、三〇歳のときには気候変動の災害に苦しむようなことがあってはならないと肝に銘じるべきだ。

こうした考えは認められ始めている。一部の国や国際組織は脅威への懸念を抱くようになった。一部の企業は、「命の経済」の部門へと転換して将来世代の利益を考慮しなければ生き残れないと気づき始めた。

一部では、将来世代の利益を考慮する「命の経済」の条件について議論が始まっている。

しかし今のところ、大規模で組織的な変化はまだ見えていない。何より、民主国においてて将来世代の利益に焦点を当てると宣言した政府はまだ存在しない。融資、公共事業、イノベーションのための投資に関して「命の経済」の部門を優先的に扱おうとする政府も存在しない。

将来世代に発言権を与えるための組織化されたメカニズムをつくろうとした政府、選挙制度をより合法的にするための改革を試みた政府もまだ存在しない。

戦時経済を振り返る

今回の危機では、民主的な戦時経済体制を敷いた政府は存在しなかった。

しかしながら、歴史を振り返ると、アメリカは一九一七年〔第一次世界大戦に参戦したとき〕に民主的な戦時経済体制を敷いていた。国防総省が存在しなかった当時、エネルギーと食糧の生産を管理するための権限がアメリカ政府の各省庁に付与されたのである。この体制により、アメリカは民主主義を危機に晒すことなく二年間で経済生産を二〇％増加させることができた。

第二次世界大戦中、アメリカの戦時生産委員会は、戦時経済のために軍需産業への転換を指揮しただけでなく、それらの部門で生まれた利益や超富裕層への税率を上げることも是認した。検閲、敵国の出身者の逮捕、そして共産主義者の追放などがあったにせよ、アメリカの民主主義の機能が根底から揺らぐことはなかった。また、イギリスは戦時経済をさらにうまく機能させた。

忌まわしい記憶

とはいえ、アメリカやイギリス以外の今日の民主国で戦時経済の響きがよくないのは当然だろう。たとえば、ドイツ、イタリア、日本などでは、忌まわしい記憶が甦る。フランスでも同様だ。フランスの戦時経済は、第一次世界大戦時はある程度の成功を収めたが、一九四〇年以降は占領軍に資する役割を担ったからだ。

今回のパンデミックが始まったとき、私は民主的な戦時経済を熟知しているはずのアメリカとイギリスなら、すぐに経済体制を整えて、マスク、人工呼吸器、検出キットを大至急で生産するだろうと思っていたし、そう願っていた。両国は「命の経済」の利益を理解していると思っていたのだが、そのような動きは起こらなかった。

戦略の欠如

アメリカ政府は今回、冷戦時に制定された法律である国防生産法（ＤＰＡ）を適用した。これにより、民間企業を戦略的な部門へと誘導するための資源配分が可能となり、民間企業に医療物資を生産するように要請したり、これらの製品の輸出を禁止したりできるようになった。しかし、これは本腰を入れたものでも一貫性のあるものでもない。

オーストラリア政府は、新型コロナウイルス感染者数がまだ二五〇人だった段階で「戦時内閣」を設置したが、これもまた一貫性と合理性に基づく全体計画を欠いたものだった。

「生き残りの経済」から「命の経済」へ

七〇年間にわたるウルトラリベラル漬けにより、国が断固として行動し、計画を立てようとする意欲と手段はすべて失われた。そして数年来の監視テクノロジーの進化、ノマディズムの進行、不安定な生活を送る社会層の増加により、民主主義を保護する必要性、そして民主主義のもとで包括的な計画を立てようという動きが疑問視されるようになった。即時の成果、不安定な生活、利己主義が世の中の規範になったのである。

しかしながら、今は「生き残りの経済」から「命の経済」へと移行すべきときだ。今こそ、「放置された民主主義」から「闘う民主主義」へと移行すべきである。

「闘う民主主義」の五原則

「闘う民主主義」が掲げるべき五つの原則は以下の通りだ。

1. **代議制**であること。
選出される議員と指導者は、国の社会層全体を反映していなければならない。

2. **命を守る**こと。
そして、国民の生命を守るには、「命の経済」へと移行する必要がある。

3. **謙虚**であること。

今回の危機から明らかになったのは、いかなる権威であってもわからないことはあるという点だ。当局は自分たちが全知全能でないことを認め、疑問と疑念、とくに未来に関することを国民と共有しなければならない。批判的な意見や対立する提案が盛んに巻き起こるのを妨げず、耳を傾け討論すべきだ。こうした謙虚な姿勢の必要性は、野党、ジャーナリスト、コメンテーター、専門家（自称「専門家」も含む）にも当てはまる。

4. **公平**であること。

あらゆる危機は最貧層に最大の影響をおよぼす。そして政治は、現状と今後訪れる状況を耐え得るものにするために、社会正義の必要性をまずもって認めなければならない。まずは税負担の公平性だ。とくに、超富裕層に重税を課すことを拒否するようでは、民主主義は生き残れないだろう。超富裕層のなかには、今回の危機で資産を増やす者さえいるだろう。

5. **将来世代の利益**を民主的に考慮すること。将来世代にはまだ選挙権がない。そのため、現世代は将来世代の利益をどのように考慮すべきかを把握し、下すべき判断の緊急性を加味して、これらの見解を巡って議論する必要があるだろう。

これらの原則は各国の事情に応じて異なる形で適用しなければならないだろう。

フランスの緊急課題

フランスの場合、喫緊の課題は明らかだ。

1. 各種のパンデミックを追跡し今後の脅威に備える対策班を設置すること。
2. 民間と公共の投資を、先述の「命の経済」の部門へと誘導すること。これらの投資は成長と雇用促進に大きな効果をもたらすだろう。また、今回のパンデミックの第二波や別の疫病に対する備えを高めることにもなる。

3. これらの優先部門で働く人々の賃金と社会的地位を大幅に引き上げること。

4. 「命の経済」以外の部門で働く人々に対し、新たな生業で働くための職業訓練を大規模に実施すること。

5. とくに観光業の業種転換を支援すること。

6. 産業界のカーボンフリー（二酸化炭素非排出）エネルギーへの移行を加速させること。

7. 転職のために職業訓練を受ける賃金労働者と自営業者、ならびに今回の危機で被害を受けた人々全員に最低限の収入を保証すること。

8. 今回の危機の被害者に資するように税制を改革すること。とくに、富裕層に対する課税を強化すること。ただし、「命の経済」で活動する企業への投資は制限なく税控除できるようにする。

9. 都市部での投資を中堅都市や農村部へと大幅に移行させること。

10. 将来世代の利益に反すると考えられる決定はどのようなものでも憲法違反と見なすこと。

未来へ向けて：儚くもすばらしい命を生きる

今回の自宅隔離は、単にわれわれがこのパンデミックを理由に閉じこもっているというだけのことではない。われわれはこのパンデミックによって**閉じ込められているのだ**。パンデミックはわれわれを空間的に閉じ込めているだけでなく、精神的にも閉じ込めている。

危機後の世界を考えることは、俯瞰的に考察することであり、命について、そして人類の置かれている状況について思いを馳せることだ。かくも儚く脆弱であり、驚きに満ちた自分たちの人生をどのようにしたいのかを熟考することだ。人生はまた、稀有なものでもある。

それは他者の命について考えることであり、人類と生きとし生けるものについて思考を巡らせることだ。

死の恐怖ではなく、生きる喜びのなかでこれらのことを考える。一つ一つの瞬間を快活に生きる。われわれは全員が死を宣告された存在である。その顔には死刑囚の笑みが浮かぶ。その心は、未来を可能にする人々への感謝に包まれ、惨事に対して充分な備えのある世界をつくろうとする大志に満たされる。間違いなく不可避であるこれらの惨事に対し、準備が万全であるがゆえに、事前の不安も、渦中での心配も必要がなくなる世界をつくるのだ。われわれ自身、われわれの子供たち、われわれの孫たち、そしてその孫たちのために。

もし、われわれが今、彼らに配慮するのなら、彼らには数多くのすばらしい出来事、胸躍る出来事が待っている。

謝辞

最初に、このパンデミックのさまざまな側面について意見を交換してくれた世界中の人々に感謝申し上げる。

Alain Attias, Richard Attias,Nicolas Barré, Xavier Botteri, Lyes Bouabdallah, Youness Bourimech, Renaud Capuçon, Jean-Louis Chaussade, le professeur Daniel Cohen, Jean-Michel Darrois, Niall Ferguson, Daniel Fortin, le professeur Philippe Froguel, Nathan Gardels, Andreas Görgen, Yaron Herman, Alan Howard, Nicolas Hulot, Pierre Joo, 貸谷伊知郎, Julien La Chon, David Layani, Stéphane Layani, Mathilde Lemoine, Enrico Letta, Maurice Lévy, Serge Magdeleine, Kishore Mahbubani, Olivier Marchal, le professeur Emmanuel Messas, le professeur Emmanuel Mitry, Edgar Morin, Pierre Moscovici, Dambisa Moyo, le docteur Denis Mukwege, Jean-Pierre Mustier, Moisés Naím, Indra Nooyi, Haris Pamboukis, Philippe Peyrat, Jean Pisani-Ferry, Géraldine Plénier, Françoise Pommaret, Didier Quillot, Laurent Quirin, le professeur Didier Raoult, Maxime Saada, le docteur Frédéric Saldmann, Pierre-Henri Salfati, Luc-François Salvador, David Sela, Tom Siebel, Audrey Tcherkoff, Mostafa Terrab, Shashi Tharoor, Serge Trigano, Natacha Valla, Shahin Vallée, Hubert Védrine, Patrick Weil, Serge Weinberg, Erika Wolf, George Yeo.

明記した以外にも、さまざまな国の多くの人々と意見を交換した。
次に、私の原稿に目を通し、内容を検証してくれた人々に感謝申し上げる。

Jérémie Attali, Léo Audurier, Floriane Benichou, Quentin Boiron, Francois Coroler, Aicha Iraqi, Clément Lamy, Marius Martin, Médéric Masse, Pierre Plasmans, Shannon Seban.

そしてファイヤール社〔原出版社〕の編集部長のSophie de Closetsは本書の原稿を何度も読み、いつもの鋭い分析で私を励ましてくれた。また、同社のDiane FeyelとThomas Vonderscherは、この特別な時期に本書を迅速に出版することに尽力してくれた。
最後に、校正者、デザイナー、印刷業者、流通業者、書店員など、この試みに関与してくれたすべての皆様に深く感謝したい。

訳者あとがき

本書は二〇二〇年六月にフランスのファイヤール（Fayard）社から出版された『L'économie de la vie』を元に、著者ジャック・アタリ氏が加筆を行った原稿の全訳である。原書の題名には、本書でアタリ氏が提唱する「命の経済」が掲げられている。

ジャック・アタリ氏は一九四三年、当時フランス領であったアルジェリアで、双子の兄弟のひとりとして誕生した。フランスのエリート養成校として知られる国立行政学院（ENA）を卒業し、一九七二年にパリ第九大学（現・パリ＝ドフィーヌ大学）で経済学の博士号を取得。一九八一年から九一年にかけてフランス大統領特別顧問、一九九一年から九三年にかけて欧州復興開発銀行初代総裁を務めたほか、サルコジ、オランド、マクロンら歴代フランス大統領への政策提言を行い、ヨーロッパの政治、経済、文化に大きな影響を与えてきた。また、利他主義と連帯こそが人類各自の利益につながるとの信念をもち、一九九八年に非政府組織「プラネット・ファイナンス」を創設するなど、途上国支援に積極的に取り組んでいる。

アタリ氏は日本との関わりも深く、今回の新型コロナウイルス感染症（COVID-19）の世界的流行が始まる以前には、毎年のように来日していた。本書の共訳者である林昌宏氏が邦訳を手がけた『2030年ジャック・アタリの未来予測』（プレジデント社、二〇一六年）、『アタリ文明論講義』（筑摩書房、二〇一六年）、『危機とサバイバル』（作品社、二〇一四年）などの著書が広く読まれているほか、近年では日本のメディアへの登場も多い。日本経済新聞をはじめとする各紙への寄稿や、NHKで五月に放送されたETV特集「緊急対談パンデミックが変える世界～海外の知性が語る展望～」への出演は、読者の記憶にも新しいことだろう。過去の膨大な事例を分析し、二〇年以上前から世界的な感染症の流行を予測していたアタリ氏の提言は、国内外で多くの反響を呼んでいる。

私はアタリ氏の近刊『食の歴史――人類は何を食べてきたのか』（プレジデント社、二〇二〇年）への翻訳協力に引き続き、林氏の誘いで本書の制作に参加させていただいた。普段は英日翻訳と生物学研究を行い、本書刊行直前の二〇二〇年八月まで、アメリカ・カリフォルニア州サンディエゴで生活してきた。同市は科学研究機関やバイオテクノロジー企業が集まる西海岸の地方都市であり、本書第一章に登場する医学者ジョナス・ソーク、第六章で触れられているイルミナ社（遺伝子解析機器大手）などともゆかりが深い。

第二章でアタリ氏が触れている通り、カリフォルニアでは三月一九日に州知事による自宅待機令が発効となり、人々の暮らしは一変した。ほとんどの店舗・商業施設が休業となり、食料品店や薬局など、営業を許可された一部の業種でも、フェイスカバー（マスク、バンダナなど）着用の徹底、入店人数の制限、買い物袋の持参禁止（同州ではレジ袋有料化により袋の持参が定着していた）など、徹底した対策がとられた。小学校から大学まで、学校の授業はほぼすべてオンライン化され、現地に拠点を置く多数の医科学研究所では、勤務可能な人員数や時間を大幅に制限し、一つの部屋に同時に在室できる人数を一～二名のみとするなど、最低限の研究機能のみを維持する運営が行われている。

こうした州・組織レベルでの制度の策定・実施はきわめて迅速に進んだ反面、感染症予防に対する一般の人々の意識の差を感じる出来事も多かった。眩しい日差しと笑顔があふれていた「黄金の州」では今、現実を忘れてパーティーに興じようとする人々、異質なものへの恐怖から人種差別や外国人排斥に走る人々、マスクやワクチンにまつわる陰謀論を唱える人々など、これまで社会に潜んでいた思考や行動の分断が表面化している。「他者を守ることが、自らの身を守ることにつながる」とのアタリ氏の主張からは、パンデミックのさなかにおける公衆保健衛生のありかたを改めて考えさせられる。

新型コロナウイルス感染症を取り巻く状況は目まぐるしく変化している。本書刊行にあたっては、最新の事情を反映させたいとのアタリ氏の意向を受け、林氏とともに追加原稿の翻訳に取り組み、プレジデント社書籍編集部の渡邉崇氏のサポートのもと、最短のスケジュールでの出版を目指した。内容に間違いのないよう心がけたが、誤訳や訳注の誤りがあるとすれば、それらはすべてわれわれ訳者の責任である。

本書でのアタリ氏の議論は、歴史から文化、経済、科学まで多岐にわたる。そのなかには、現場の実態や日本の事情には必ずしもそぐわないものもあるかもしれない。しかし、そこで生まれた疑問や違和感もまた、われわれが混乱のなかを生き抜くための力となることだろう。本書でアタリ氏自身も述べているように、傍観者となるのではなく、自ら主体的に生きる行為者となることが重要だ。事実から目を背けることなく、過去の事例から学び、未来について考えていくことで、われわれは初めて自分の人生を生きられるようになる。

アタリ氏は本書の第五章で、偶然の出会いや不意の会話が創造性の源となることを指摘している。医学やその基盤となる基礎科学におけるブレイクスルーもまた、しばしば異質なもの同士の出会いから生まれてきた。人やモノの移動が大きく制限されるなか、物理的・心理的な距離を超えて多様な意見に耳を傾け、他者の姿に目を向けることが、この危機を乗り越えるうえでも重要な鍵となるはずだ。読者にとって、本書がそのきっかけの一つとなれば幸いである。

二〇二〇年八月二六日

坪子　理美

大陸ごとのモノの貿易量と実質GDP年ごとの変動率（2018年から2019年までの実績と、2020年から2021年までの予測）

	実績データ		楽観的な予測値		悲観的な予測値	
	2018	2019	2020	2021	2020	2021
モノの世界の貿易量	2.9	-0.1	-12.9	21.3	-31.9	24.0
輸出						
北アメリカ	3.8	1.0	-17.1	23.7	-40.9	19.3
中央および南アメリカ	0.1	-2.2	-12.9	18.6	-31.3	14.3
ヨーロッパ	2.0	0.1	-12.2	20.5	-32.8	22.7
アジア	3.7	0.9	-13.5	24.9	-36.2	36.1
その他の地域	0.7	-2.9	-8.0	8.6	-8.0	9.3
輸入						
北アメリカ	5.2	-0.4	-14.5	27.3	-33.8	29.5
中央および南アメリカ	5.3	-2.1	-22.2	23.2	-43.8	19.5
ヨーロッパ	1.5	0.5	-10.3	19.9	-28.9	24.5
アジア	4.9	-0.6	-11.8	23.1	-31.5	25.1
その他の地域	0.3	1.5	-10.0	13.6	-22.6	18.0
市場為替レートに対する実質GDP	2.9	2.3	-2.5	7.4	-8.8	5.9
北アメリカ	2.8	2.2	-3.3	7.2	-9.0	5.1
中央および南アメリカ	0.6	0.1	-4.3	6.5	-11.0	4.8
ヨーロッパ	2.1	1.3	-3.5	6.6	-10.8	5.4
アジア	4.2	3.9	-0.7	8.7	-7.1	7.4
その他の地域	2.1	1.7	-1.5	6.0	-6.7	5.2

出典：世界貿易機関（WTO）事務局

2020年から2021年にかけてのGDPの予測変動率

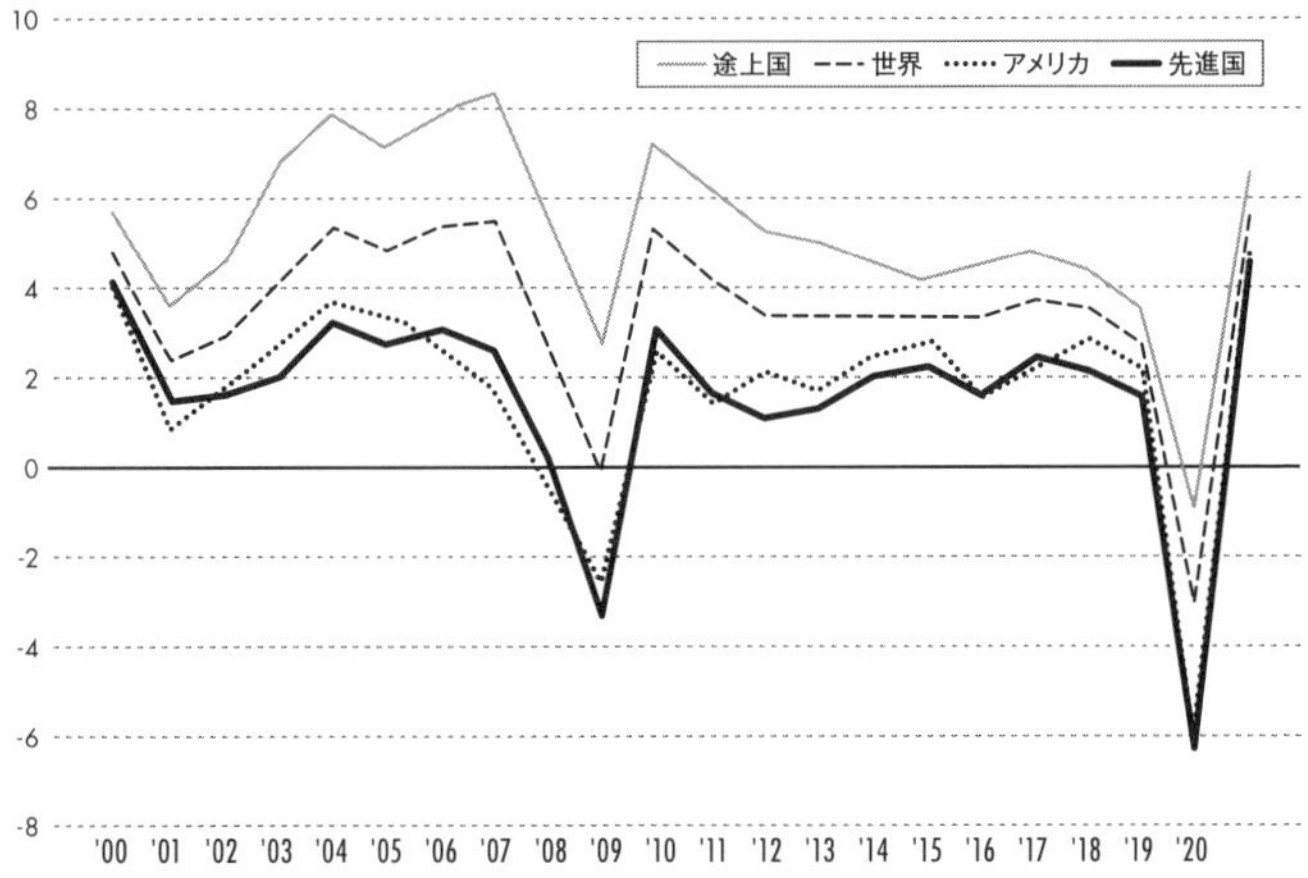

出典：「世界経済見通し」、国際通貨基金（IMF）、2020年4月14日

経済協力開発機構（OECD）と国際通貨基金（IMF）の経済見通し：
2020年から2021年までの国別のGDP変動率

2020年3月のOECDの見通し				2020年4月のIMFの見通し			
	2019	2020	2021		2019	2020	2021
世界	2.9%	2.4%	3.3%	世界	2.9%	-3.0%	5.8%
G20	3.1	2.7	3.5	先進国	1.7	-6.1	4.5
オーストラリア	1.7	1.8	2.6	アメリカ	2.3	-5.9	4.7
カナダ	1.6	1.3	1.9	ユーロ圏	1.2	-7.5	4.7
ユーロ圏	1.2	0.8	1.2	ドイツ	0.6	-7.0	5.2
ドイツ	0.6	0.3	0.9	フランス	1.3	-7.2	4.5
フランス	1.3	0.9	1.4	イタリア	0.3	-9.1	4.8
イタリア	0.2	0.0	0.5	スペイン	2.0	-8.0	4.3
日本	0.7	0.2	0.7	日本	0.7	-5.2	3.0
韓国	2.0	2.0	2.3	イギリス	1.4	-6.5	4.0
メキシコ	-0.1	0.7	1.4	カナダ	1.6	-6.2	4.2
トルコ	0.9	2.7	3.3	中国	6.1	1.2	9.2
イギリス	1.4	0.8	0.8	インド	4.2	1.9	7.4
アメリカ	2.3	1.9	2.1	ロシア	1.3	-5.5	3.5
アルゼンチン	-2.7	-2.0	0.7	ラテンアメリカ諸国	0.1	-5.2	3.4
ブラジル	1.1	1.7	1.8	ブラジル	1.1	-5.3	2.9
中国	6.1	4.9	6.4	メキシコ	-0.1	-6.6	3.0
インド	4.9	5.1	5.6	中東諸国	1.2	-2.8	4.0
インドネシア	5.0	4.8	5.1	サウジアラビア	0.3	-2.3	2.9
ロシア	1.0	1.2	1.3	サハラ砂漠以南諸国	3.1	-1.6	4.1
サウジアラビア	0.0	1.4	1.9	ナイジェリア	2.2	-3.4	2.4
南アフリカ共和国	0.3	0.6	1.0	南アフリカ共和国	0.2	-5.8	4.0
				世界の貿易量	0.9	-11.0	8.4
				原油価格	-10.2	-42.0	6.3

出典：OECD中間経済評価：Covid-19：リスクにさらされた世界経済、2020年3月、2ページ。
「世界経済見通し」、IMF、2020年4月14日、4ページ

アメリカにおける新型コロナウイルス感染症がおよぼす産業部門別の影響（2020年2月から3月まで。単位:千人）

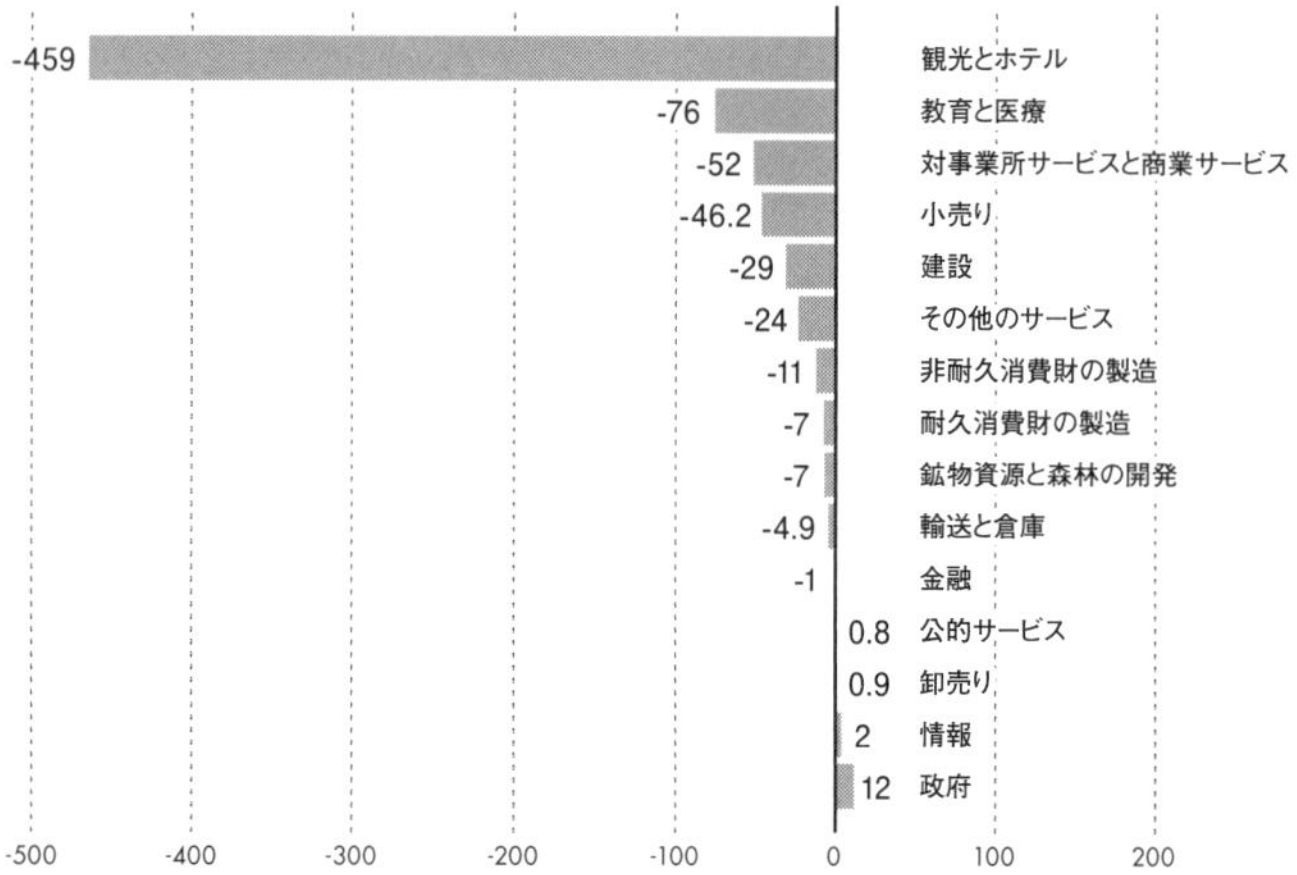

出典：アメリカ合衆国労働統計局

2020年の各国財政赤字の対GDP比の見通し

国	財政赤字（2020年の予測値：対GDP比）
南アフリカ共和国	13.5%（出典：ムーディーズ）
ドイツ	7%以上（出典：ドイツ政府）
中国	8%（出典：フィッチ・レーティングス）
スペイン	10.3%（出典：スペイン政府）
アメリカ	18.7%（出典：連邦予算委員会）
フランス	9%（出典：フランス政府）
イタリア	10.4%（出典：イタリア政府）
インド	2020年から2021年まで6.2%（出典：フィッチ・ソリューションズ）
日本	約8%（出典：フィッチ・レーティングス）

新型コロナウイルス感染症患者数の推移
2020年1月から5月14日までの大まかな地理的分布の片対数グラフ

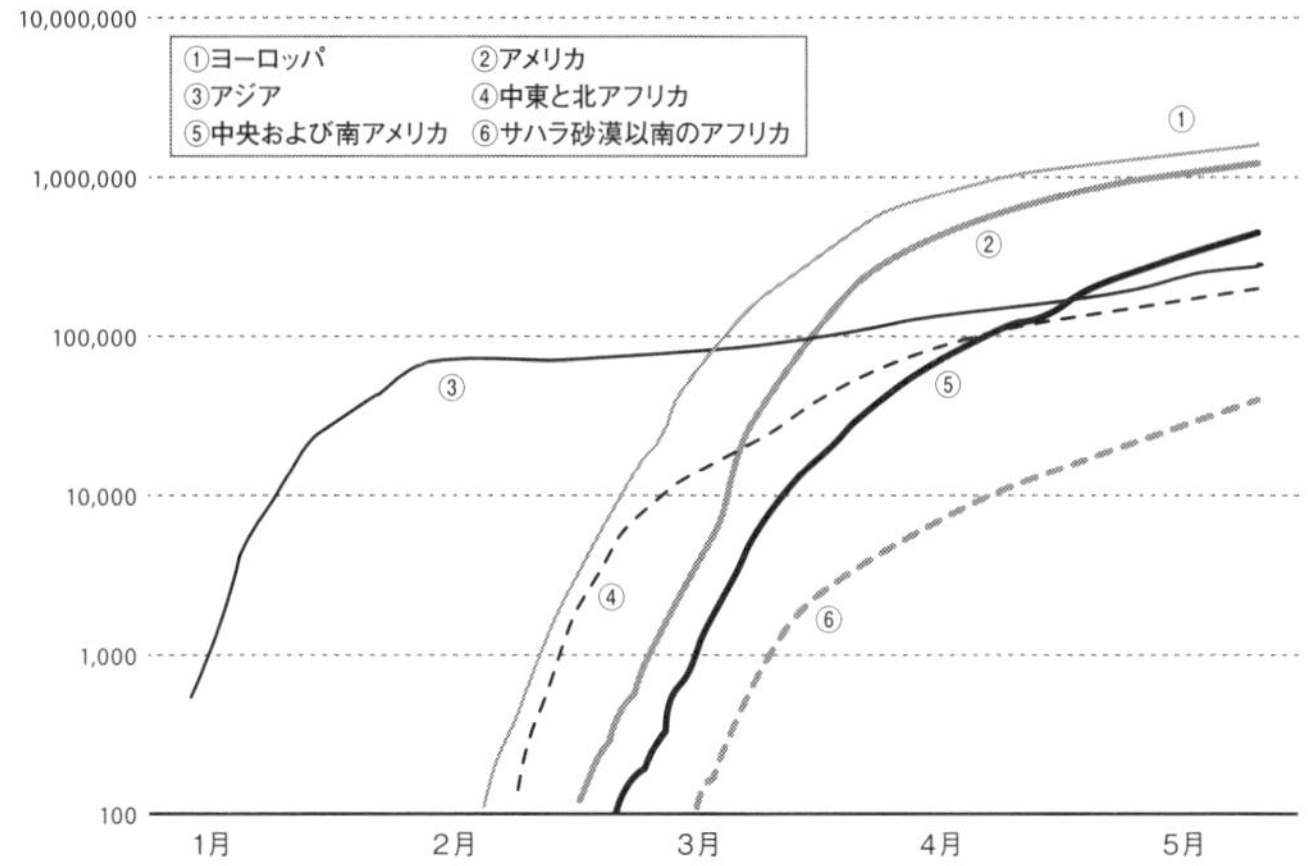

出典：ジョンズ・ホプキンズ大学

2020年1月22日から5月19日までの確認されている
新型コロナウイルスの感染者数と死亡者の累計推移

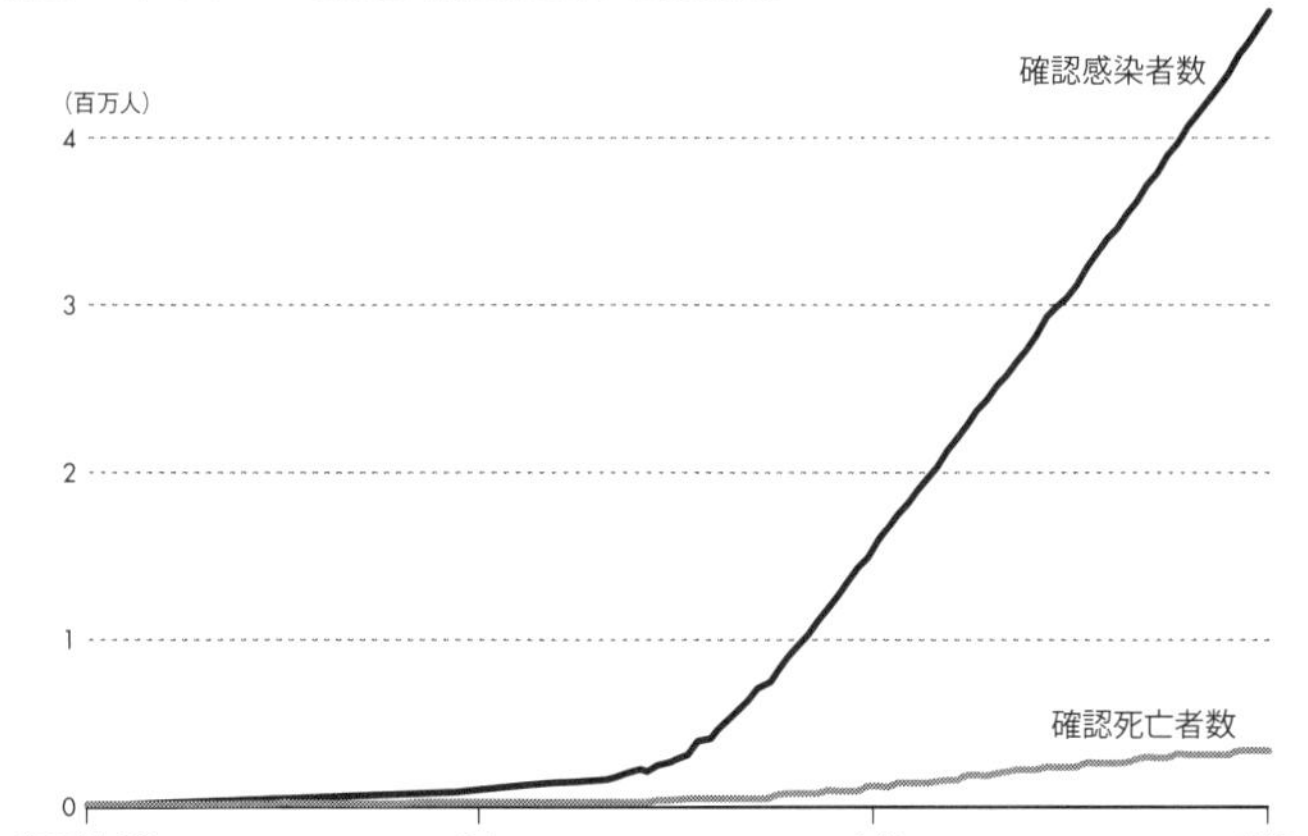

出典：「データでみる私たちの世界」がまとめたヨーロッパ疾病予防管理センターのデータ

2020年1月22日から5月19日までに確認されている各国の新型コロナウイルス感染症者の累計推移（アメリカを除く）

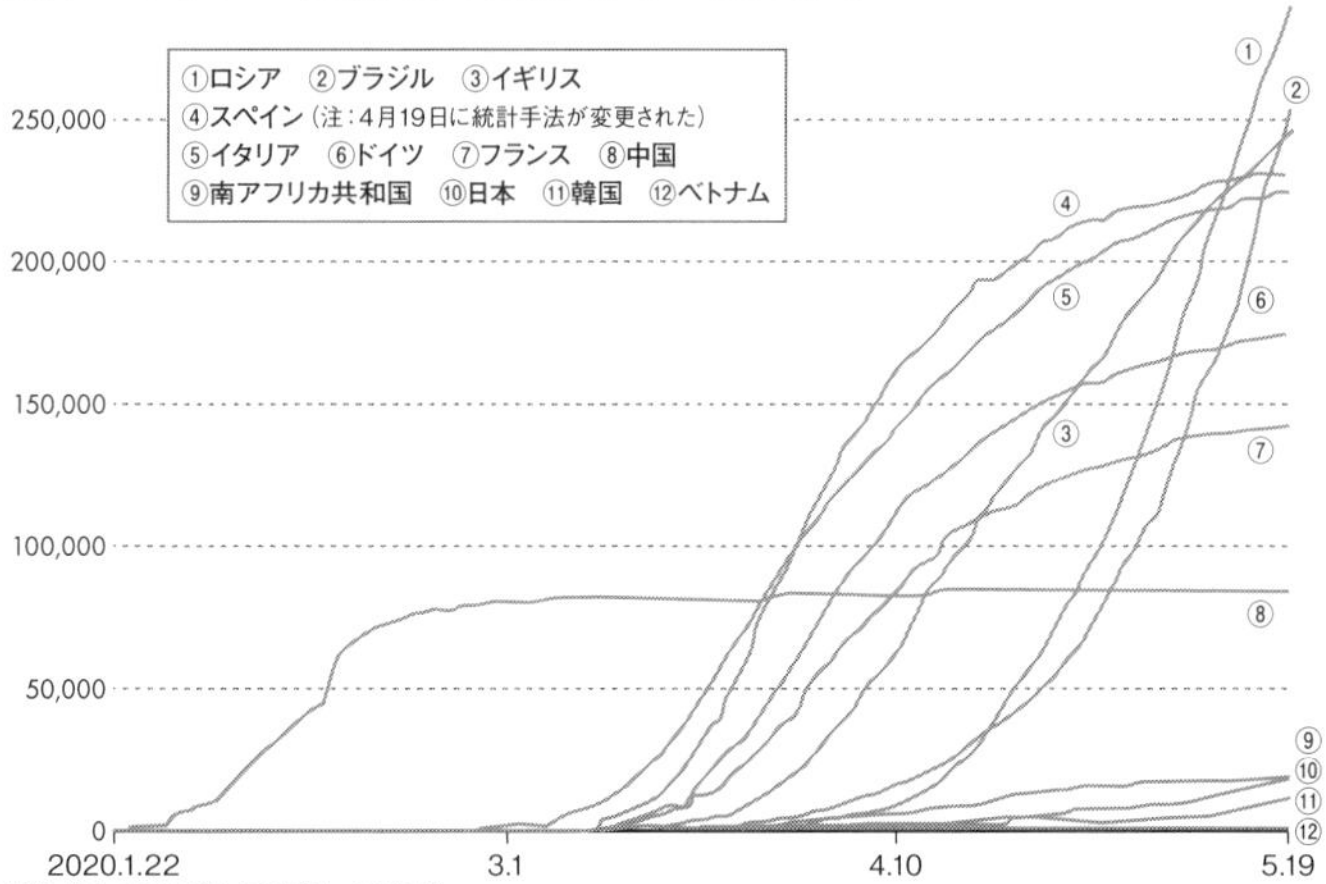

出典：「データでみる私たちの世界」、5月19日

各国の国民100万人当たりの死亡者数の推移

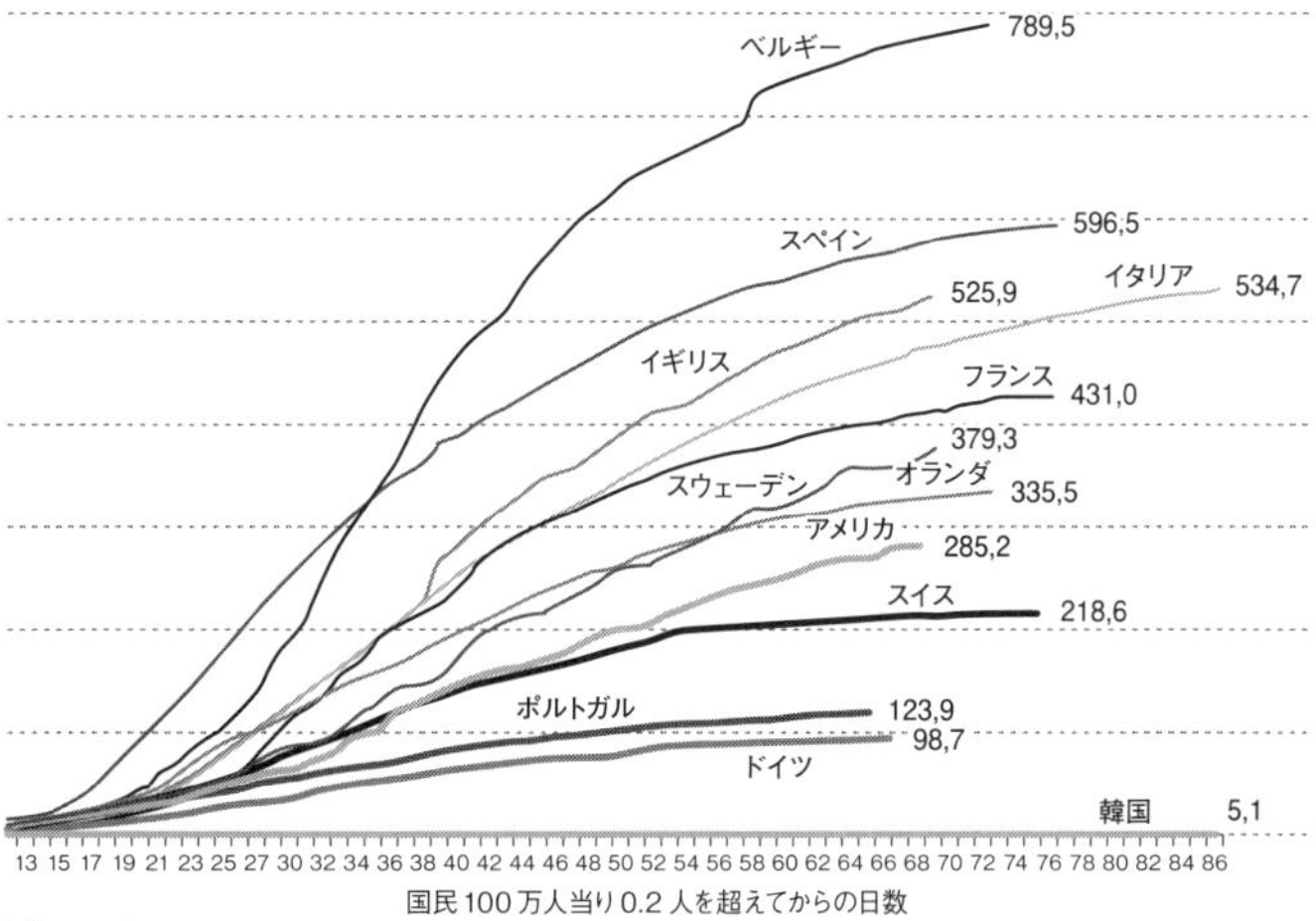

出典：ワールドメーター

新型コロナウイルス感染症の重症者と死亡者の累計（2020年5月22日時点）

国	感染者数	重症者数（集中治療室で管理）*	死亡者数
フランス	181,951	1,745	28,218
中国	84,079	8	4,638
韓国	11,142	15	264
イタリア	228,006	640	32,486
ドイツ	179,021	1,016	8,212
台湾	441	0	7
イギリス	250,908	1,159	36,042
スペイン	233,037	1,152	27,940
イスラエル	16,690	47	279
ギリシア	2,853	21	168
アメリカ	1,577,758	17,907	94,729
インド	119,419	N/A	3,599
ニュージーランド	1,504	1	21
モロッコ	7,211	1	196
ロシア	326,448	2,300	3,249
サウジアラビア	65,077	281	351
カザフスタン	7,597	31	35
ベトナム	324	2	0
ブラジル	310,087	8,318	20,047
南アフリカ共和国	19,137	119	369
エジプト	15,033	41	696
スウェーデン	32,172	352	3,871
世界	5,118,416	N/A	333,212

*https://www.coronatracker.com/fr/analytics/
出典：ジョンズ・ホプキンズ大学、2020年5月22日

新型コロナウイルス感染症がもたらす経済部門別の影響

経済部門	今回の危機が経済活動におよぼす影響	危機発生前の雇用状況（感染症拡大前の 2020 年の世界の推定状況）			
		雇用数（単位：千人）	雇用全体に占める割合（%）	賃金の占める割合（部門の月収 / 平均総収入）	女性の割合（%）
教育	小	176,560	5.3	1.23	61.8
医療と社会活動の領域	小	136,244	4.1	1.14	70.4
公的機能と防衛；公的な社会保障	小	144,241	4.3	1.35	31.5
公的サービス	小	26,589	0.8	1.07	18.8
農業；林業と漁業	小の中	880,373	26.5	0.72	37.1
建設	中	257,041	7.7	1.03	7.3
金融と保険	中	52,237	1.6	1.72	47.1
鉱物と採掘	中	21,714	0.7	1.46	15.1
芸術 演劇 娯楽などのサービス	中の大	179,857	5.4	0.69	57.2
輸送； 倉庫とコミュニケーション	中の大	204,217	6.1	1.19	14.3
ホテル業と飲食業	大	143,661	4.3	0.71	54.1
不動産業；管理業など	大	156,878	4.7	0.97	38.2
製造業	大	463,091	13.9	0.95	38.7
卸売業と小売業； 自動車とオートバイの修理	大	481,951	14.5	0.86	43.6

出典：ILOSTAT データベースを利用した国際労働機関の推定

2020年春の時点におけるヨーロッパ各国の指標を基にした経済予測

	実質GDP			インフレ率			失業率			経常収支			財政収支		
	2019	2020	2021	2019	2020	2021	2019	2020	2021	2019	2020	2021	2019	2020	2021
ベルギー	1.4	−7.2	6.7	1.2	0.2	1.3	5.4	7.0	6.6	−0.7	−0.1	−0.3	−1.9	−8.9	−4.2
ドイツ	0.6	−6.5	5.9	1.4	0.3	1.4	3.2	4.0	3.5	7.6	6.1	7.4	1.4	−7.0	−1.5
エストニア	4.3	−6.9	5.9	2.3	0.7	1.7	4.4	9.2	6.5	2.3	1.1	2.2	−0.3	−8.3	−3.4
アイルランド	5.5	−7.9	6.1	0.9	−0.3	0.9	5.0	7.4	7.0	−9.4	4.6	4.4	0.4	−5.6	−2.9
ギリシア	1.9	−9.7	7.9	0.5	−0.6	0.5	17.3	19.9	16.8	−0.3	0.1	−1.2	1.5	−6.4	−2.1
スペイン	2.0	−9.4	7.0	0.8	0.0	1.0	14.1	18.9	17.0	2.0	3.2	2.7	−2.8	−10.1	−6.7
フランス	1.3	−8.2	7.4	1.3	0.4	0.9	8.5	10.1	9.7	−0.1	−0.1	−0.4	−3.0	−9.9	−4.0
イタリア	0.3	−9.5	6.5	0.6	−0.3	0.7	10.0	11.8	10.7	3.0	3.4	3.3	−1.6	−11.1	−5.6
キプロス	3.2	−7.4	6.1	0.5	−0.2	1.0	7.1	8.6	7.5	−5.7	−10.9	−10.1	1.7	−7.0	−1.8
ラトビア	2.2	−7.0	6.4	2.7	0.2	1.9	6.3	8.6	8.3	0.6	1.1	1.2	−0.2	−7.3	−4.5
リトアニア	3.9	−7.9	7.4	2.2	0.8	1.5	6.3	9.7	7.9	3.5	2.2	2.9	0.3	−6.9	−2.7
ルクセンブルク	2.3	−5.4	5.7	1.6	0.7	1.6	5.6	6.4	6.1	4.5	4.5	4.5	2.2	−4.8	0.1
マルタ	4.4	−5.8	6.0	1.5	0.7	1.1	3.4	5.9	4.4	10.7	7.6	9.7	0.5	−6.7	−2.5
オランダ	1.8	−6.8	5.0	2.7	0.8	1.3	3.4	5.9	5.3	10.2	9.0	8.4	1.7	−6.3	−3.5
オーストリア	1.6	−5.5	5.0	1.5	1.1	1.5	4.5	5.8	4.9	2.3	0.9	1.6	0.7	−6.1	−1.9
ポルトガル	2.2	−6.8	5.8	0.3	−0.2	1.2	6.5	9.7	7.4	0.0	−0.6	−0.2	0.2	−6.5	−1.8
スロベニア	2.4	−7.0	6.7	1.7	0.5	1.2	4.5	7.0	5.1	6.8	6.8	6.8	0.5	−7.2	−2.1
スロバキア	2.3	−6.7	6.6	2.8	1.9	1.1	5.8	8.8	7.1	−2.6	−2.9	−2.4	−1.3	−8.5	−4.2
フィンランド	1.0	6.3	3.7	1.1	0.5	1.4	6.7	8.3	7.7	−0.8	−1.3	−1.5	−1.1	−7.4	−3.4
ユーロ圏	1.2	−7.7	6.3	1.2	0.2	1.1	7.5	9.6	8.6	3.3	3.4	3.6	−0.6	−8.5	−3.5
ブルガリア	3.4	−7.2	6.0	2.5	1.1	1.1	4.2	7.0	5.8	5.2	3.3	5.4	2.1	−2.8	−1.8
チェコ	2.6	−6.2	5.0	2.6	2.3	1.9	2.0	5.0	4.2	0.7	−1.5	−1.0	0.3	−6.7	−4.0
デンマーク	2.4	−5.9	5.1	0.7	0.3	1.3	5.0	6.4	5.7	7.9	6.2	6.7	3.7	−7.2	−2.3
クロアチア	2.9	−9.1	7.5	0.8	0.4	0.9	6.6	10.2	7.4	2.4	−1.7	0.5	0.4	−7.1	−2.2
ハンガリー	4.9	−7.0	6.0	3.4	3.0	2.7	3.4	7.0	6.1	−0.9	1.3	1.5	−2.0	−5.2	−4.0
ポーランド	4.1	−4.3	4.1	2.1	2.5	2.8	3.3	7.5	5.3	0.4	0.6	0.9	−0.7	−9.5	−3.8
ルーマニア	4.1	−6.0	4.2	3.9	2.5	3.1	3.9	6.5	5.4	−4.6	−3.3	−3.4	−4.3	−9.2	−11.4
スウェーデン	1.2	−6.1	4.3	1.7	0.4	1.1	6.8	9.7	9.3	4.4	3.7	4.0	0.5	−5.6	−2.2
EU	1.5	−7.4	6.1	1.4	0.6	1.3	6.7	9.0	7.9	3.2	3.1	3.4	−0.6	−8.3	−3.6

出典：「ヨーロッパ経済の見通し―2020年春」、欧州委員会、2020年5月

新型コロナウイルス感染症と過去に猛威を振るった15の感染症との比較

	期間	下位推定（単位：千）	中位推定（単位：千）	上位推定（単位：千）	世界人口（単位：百万）	死亡率（中位推定／世界人口）
アテナイの疫病	紀元前429年〜紀元前426年	70	88	100	50	0.18%
アントニヌスの疫病	165-180	5,000	7,500	10,000	202	3.71%
キプロスの疫病	250-266	1,000	1,000	1,000	205	0.49%
ユスティニアヌスのペスト	541-542	25,000	62,500	100,000	213	29.3%
日本の天然痘	735-737	2,000	2,000	2,000	226	0.88%
黒死病	1331-1353	75,000	137,500	200,000	392	35.1%
天然痘	1520	5,000	6,500	8,000	461	1.41%
ココリストリ疫病	1545-1548	5,000	10,000	15,000	461	2.54%
1576年のココリストリ疫病	1576-1580	2,000	2,250	2,500	554	0.41%
イタリアのペスト	1629-1631	280	640	1,000	554	0.12%
ナポリの大ペスト	1656-1658	1,250	1,250	1,250	603	0.21%
ペルシアのペスト	1772	2,000	2,000	2,000	990	0.2%
中国のペスト	1855-1960	15,000	18,500	22,000	1,263	1.46%
スペイン風邪	1918-1920	17,000	58,500	100,000	2,307	3.47%
ヒト免疫不全ウイルス感染症（HIV）	1920-	25,000	30,000	35,000	3,712	0.81%
新型コロナウイルス	2019-	328（2020年5月19日時点）			7,643	0.0042%

出典：「感染症のテールリスク」、P. チリッロとN. タレブ、2020年3月23日

新型コロナウイルス感染症の原因ウイルス（SARS-CoV-2）の拡散媒体

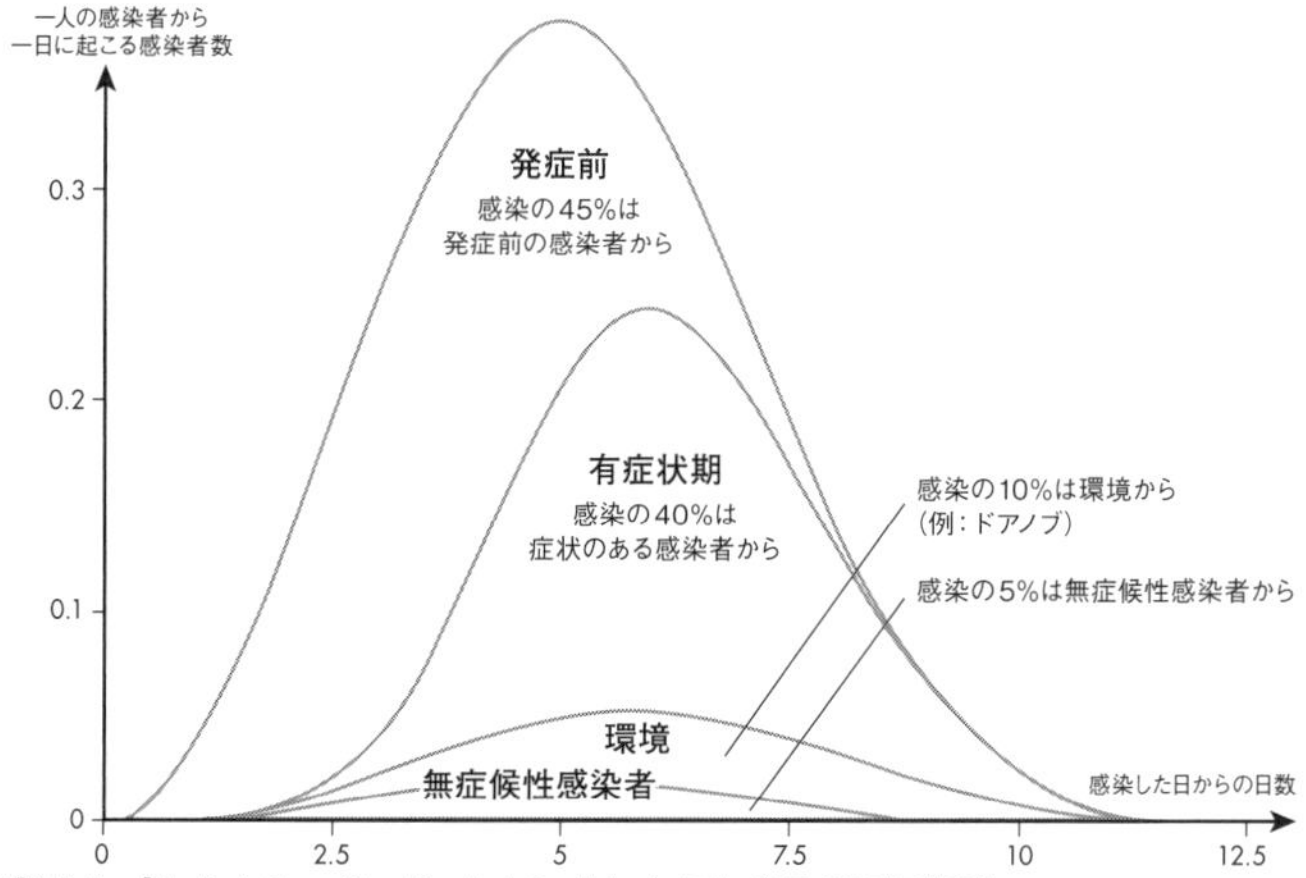

出典：Medium「The Basic Dance Steps Everybody Can Follow」、トマス・プエヨ、2020年4月23日

部門別にみた仕事のデジタル化の割合

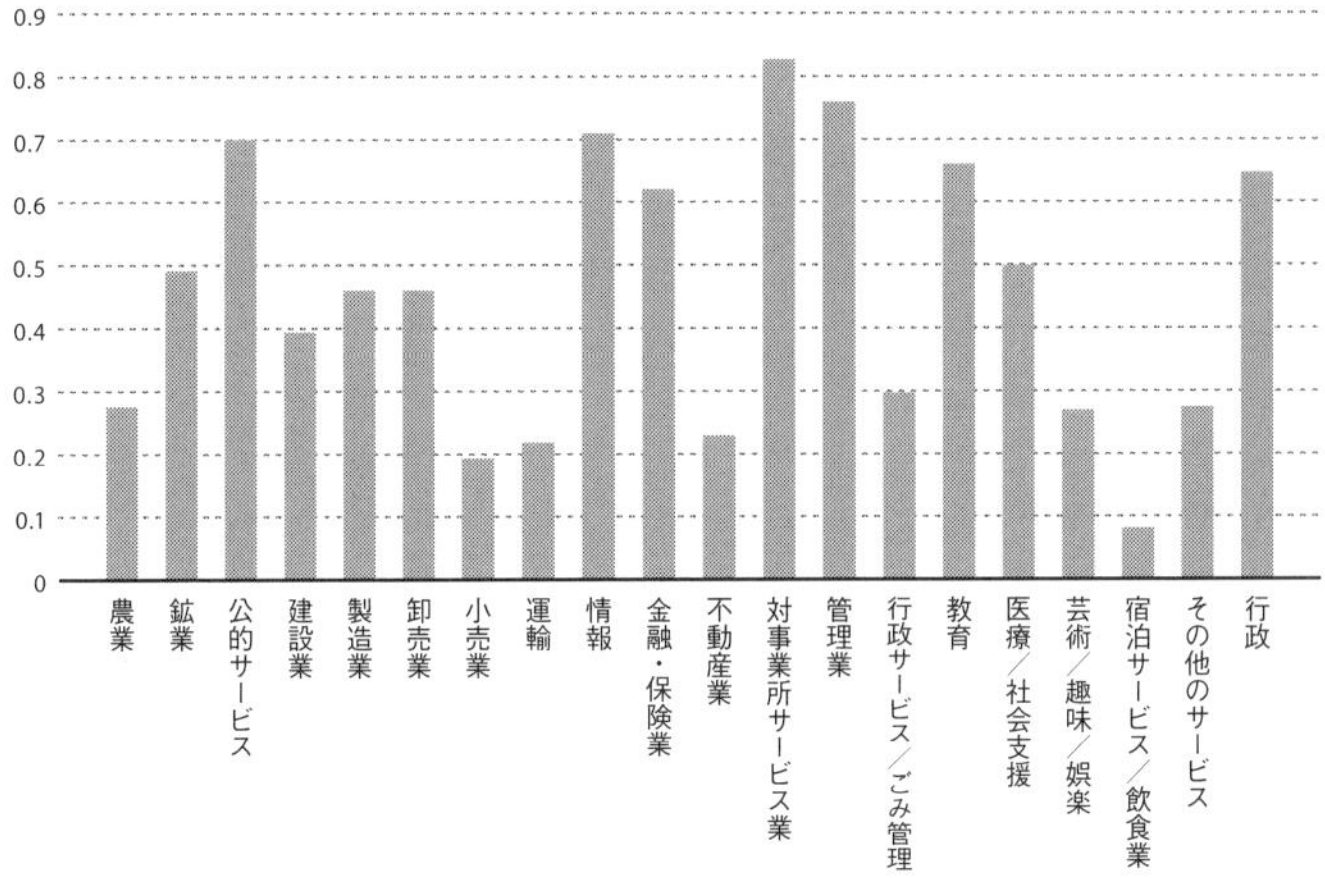

出典：「構造改革と情報工学の飛躍」、ジョヴァンニ・ガリポリとクリストス・A・マクリディス、2018年

原注

著作

Harper (Kyle), *Comment l'Empire romain s'est effondré. Le climat, les maladies et la chute de Rome*, La Découverte, 2019.
Khazan (Olga), *Weird : The power of being an outsider in an insider world*, Hachette Go, 2020.
Testot (Laurent), Norel (Philippe), *Une histoire du monde global*, Éditions Sciences humaines, 2012.
Thucydide, *Histoire de la guerre du Péloponnèse*, Robert Laffont, 1990.
Voltaire, *Dictionnaire philosophique*, tome 19, Classiques Garnier, 2008.

NGOと国際機関

Action contre la faim, « Lutter contre le choléra », sept. 2013 : https://www.actioncontrelafaim.org/wp-content/uploads/2018/01/manuel_pratique_cholera_acf.pdf
Agence internationale de l'énergie, « World Energy Outlook », 2014 et 2019.
Agence nationale de sécurité sanitaire de l'alimentation, de l'environnement et du travail (Anses), « Risques microbiologiques dans l'alimentation », 6 septembre 2016 : https://www.anses.fr/fr/content/risques-microbiologiques-dans-l%E2%80%99alimentation
Bank of Korea, « Policy Response to COVID-19 » : https://www.bok.or.kr/eng/bbs/B0000308/list.do?menuNo=400380
Banque mondiale, « "Déchets : quel gâchis 2.0" : un état des lieux actualisé des enjeux de la gestion des ordures ménagères », 20 septembre 2018 : https://www.banquemondiale.org/fr/news/immersive-story/2018/09/20/what-a-waste-an-updated-look-into-the-future-of-solid-waste-management
Carbon Brief, « Analysis: Coronavirus set to cause largest ever annual fall in CO2 emissions », 9 avril 2020 : https://www.carbonbrief.org/analysis-coronavirus-set-to-cause-largest-everannual-fall-in-co2-emissions
Carnegie Endowment for International Peace, « How will the Coronavirus reshape the Democracy and Governance globally? », 6 avril 2020 : https://carnegieendowment.org/2020/04/06/how-will-coronavirus-reshape-democracy-and-governance-globally-pub-81470
Commission européenne, « European Economic Forecast », mai 2020 : https://ec.europa.eu/info/sites/info/files/economyfinance/ip125_en.pdf
Copenhagen Balance, « How Danish Work Design Creates Productivity and Life Quality », mai 2013 : https://www.supernavigators.com/Case.pdf
Eurostat, « GDP downby 3.8 % in the euro area and by 3.5 % in the EU », 30 avril 2020 : https://ec.europa.eu/eurostat/documents/2995521/10294708/2-30042020-BP-EN.pdf/

526405c5-289c-30f5-068a-d907b7d663e6
Fondation Heinrich-Boll *et alii, Atlas du plastique* : https://fr.boell.org/sites/default/files/2020-02/Atls%20du%20Plastique%20VF.pdf
Fonds des Nations unies pour la population (UNFPA), « Impact of the Covid-19 Pandemic on Family Planning and Ending Gender-based Violence, Female Genital Mutilation and Child Marriage », 27 avril 2020 : https://www.unfpa.org/fr/node/24179
Global Network Against Food Crises et Food Security Information Network, « 2020 Global report on food crises. Joint analysis for better decisions », 2020 : https://www.carbonbrief.org/analysiscoronavirus-set-to-cause-largest-ever-annual-fall-in-co2-emissions
IQAir, « COVID-19 air quality report », 22 avril 2020.
Ministère des Solidarités et de la Santé, « Risques infectieux d'origine alimentaire », 23 octobre 2017 : https://solidaritessante.gouv.fr/sante-et-environnement/risques-microbio logiques-physiques-et-chimiques/article/risques-infectieux-d-origine-alimentaire
Organisation des Nations unies, « A UN framework for the immediate socio-economic response to Covid-19 », avril 2020 : https://www.un.org/sites/un2.un.org/files/un_framework_report_on_covid-19.pdf
Organisation internationale du travail (OIT), « Observatoire de l'OIT : le Covid-19 et le monde du travail. Deuxième édition.Estimations actualisées et analyses », 7 avril 2020 : https://www.ilo.org/wcmsp5/groups/public/---dgreports/---dcomm/documents/briefingnote/wcms_740982.pdf
Organisation mondiale de la santé, « Nouveau coronavirus – Chine. Bulletin d'information sur les flambées épidémiques »,12 janvier 2020 : https://www.who.int/csr/don/12-january-2020-novel-coronavirus-china/fr/
—, « Sécurité sanitaire des aliments », 3 avril 2020 : https://www.who.int/fr/news-room/fact- sheets/detail/food-safety
—, « Archives de l'Office international d'hygiène publique (OIHP) » : https://www.who.int/archives/fonds_collections/bytitle/fonds_1/fr/
—, « VIH/sida », 15 novembre 2019 : https://www.who.int/fr/news-room/fact-sheets/detail/hiv-aids
—, « La lèpre », 10 septembre 2019 : https://www.who.int/fr/news-room/fact-sheets/detail/leprosy
—, « Tuberculose » : https://www.who.int/topics/tuberculosis/fr/ProjectSyndicate, « The Moral Crisis of the Pandemic, by JeremyAdelman », 15 avril 2020 : https://www.project-syndicate.org/commentary/pandemic-global-moral-crisis-threatens-refugees-by-jeremy-adelman-2020-04
The AIRE centre, « COVID-19 and the Impact on Human Rights », 28 avril 2020. : https://www.airecentre.org/Handlers/Download.ashx?IDMF=3dc95ef1-0ab4-4a12-9751-0a7f460f1aaa
The Boston Consulting Group, « Covid-19 : BCG Perspectives. Facts, scenarios, and actions for leaders », 20 avril 2020 : https://media-publications.bcg.com/BCG-COVID-19-

BCG-Perspectives-Version2.pdf
TheGlobalFund, « COVID-19 Impact on Health Product Supply : Assessment and Recommendations », 18 mai 2020 : https://www.theglobalfund.org/media/9440/psm_covid-19impactonsupplychainlogistics_report_en.pdf?u=637196033260000000
United Nations Office for Disaster Risk Reduction (UNDRR), « Combating the dual challenge of COVID-19 and climate-related disasters », 27 avril 2020 : https://www.undrr.org/publication/undrr-asia-pacific-covid-19-brief-combating- dualchallenges-climate-related-disasters
Unesco, « Journalism press freedom and COVID-19 », 2020 : https://en.unesco.org/sites/default/files/unesco_covid_brief_en.pdf
Unicef, « Gender-Responsive Social Protection during COVID19 : technical note », 23 avril 2020 : https://www.unicef.org/documents/gender-responsive-social-protection-during-covid-19
World Resources Institute, « Reefs at risk » : https://sustainabledevelopment.un.org/content/documents/1809Reefs_Summary_low.pdf

統計

« Covid-19 Map », Johns Hopkins Coronavirus Resource Center, données mises à jour en temps réel.
« Southern France morning post. SARS-CoV-2 », Méditerraneeinfection.com, données mises à jour quotidiennement.
« Coronavirus (Covid-19) », OurWorldInData.org, données mises à jour quotidiennement.

学術論文

Burger (Ary) et Dekker (Paul), « The nonprofit sector in the Netherlands », Social en Cultureel Planbureau, Den Haag, April 2001 : https://www.researchgate.net/publication/240320830_The_Nonprofit_Sector_in_the_Netherlands
Dingel (Jonathan I.) et Neiman (Brent), « How Many Jobs Can be Done at Home ? », avril 2020 : https://bfi.uchicago.edu/wpcontent/uploads/BFI_White-Paper_Dingel_Neiman_3.2020.pdf
Dupont (Louis), « Le tourisme est-il aujourd'hui sur une trajectoire de développement durable à la Guadeloupe ? Nécessité de concilier compétitivité, productivité et durabilité », oct. 2019 : https://www.researchgate.net/publication/336968198_Le_tourisme_est-il_aujourd'hui_sur_une_trajectoire_de_developpement_durable_a_la_Guadeloupe_Necessite_de_concilier_competitivite_productivite_et_durabilite
Elsland (Dr. Sabine L. van) et O'Hare (Ryan), « Coronavirus pandemic could have caused 40 million deaths if left unchecked », Imperial College, 26 mars 2020 : https://www.imperial.ac.uk/news/196496/coronavirus-pandemic-could-have-caused-40/

Harden (Victoria), « Typhus, Epidemic », in Kenneth Kiple (éd.), *The Cambridge World History of Human Disease*, New York, Cambridge University Press, 1993.

Hillemand (Bernard), Ségal (Alain), « Les six conférences sanitaires internationales de 1851 à 1885 – Prémices de l'Organisation mondiale de la santé », *in Histoire des Sciences médicales*, Tome XLVII, n° 1, Paris-Descartes, 2013.

Kulp (Scott A.) et Strauss (Benjamin H.), « New elevation data triple estimates of global vulnerability to sea-level rise and coastal flooding », *Nature Communications*, vol. 10, 2019 : https://www.nature.com/articles/s41467-019-12808-z

Kumar (S.) *et alii*, « Handwashing in 51 Countries : Analysis of Proxy Measures of Handwashing Behavior in Multiple Indicator Cluster Surveys and Demographic and Health Surveys, 2010-2013 », *American Journal of Tropical Medicine and Hygiene*, vol. 97, n° 2, août 2017, p. 447-459 : https://www.ncbi.nlm.nih.gov/pubmed/28722572

Lenzen (Manfred) *et alii*, « The carbon footprint of global tourism», *Nature Climate Change*, vol. 8, 2018, p. 522-528 : https://www.nature.com/articles/s41558-018-0141-x

Lofgren (Eric T.) et Fefferman (Nina H.), « The untapped potential of virtual game worlds to shed light on real world epidemics», *The Lancet*, sept. 2007 : https://www.thelancet.com/journals/laninf/article/PIIS1473-3099(07)70212-8/fulltext

Nau (Jean-Yves), « Grippe aviaire : la France disposera de 13 millions de doses de Tamiflu à la fin de l'année », *in Revue médicale suisse*, volume 1, n° 1668, 2005 : https://www.revmed.ch/RMS/2005/RMS-13/1668

Noymer (Andrew) et Garnier (Michel), « The 1918 Influenza Epidemic's Effects on Sex Differentials in Mortality in the United States », *Popul Dev Rev*, vol. 26, n° 3, 2000 ; p. 565-581 :https://www.ncbi.nlm.nih.gov/pmc/articles/PMC2740912/

Santolini (Marc), « Covid-19 : the rise of a global collectiveintelligence ? », TheConversation.com, 24 avril 2020 : https://theconversation.com/covid-19-the-rise-of-a- global-collectiveintelligence-135738

Sun (Yun), « China and Africa's debt : Yes to relief, no to blanket forgiveness », Brookings.edu, 20 avril 2020 : https://www.brookings.edu/blog/africa-in-focus/2020/04/20/chinaand-africas-debt-yes-to-relief-no-to-blanket-forgiveness/

« L'hygiène internationale : les ancêtres de l'OMS » : http://theses.univ-lyon2.fr/documents/getpart.php?id=lyon2.2009.frioux_s&part=165173

オンライン記事

« The world needs masks. China makes them, but has been hoarding them », Brasher (Keith) et Alderman (Liz) : https://www.nytimes.com/2020/03/13/business/masks-china-coronavirus.html

« Des cas de Covid-19 dès les Jeux mondiaux militaires d'octobre 2019 ? », Buxeda (Yann) : https://www.france24.com/fr/20200506-covid-19-armee-jeux-militaires-wuhan-chine-temoignages-coronavirus

« Cambodia adopts law to allow for emergency powers to tackle coronavirus », Chan Thul (Prak) : https://www.reuters.com/article/us-health-coronavirus-cambodia/cambodia-adoptslaw-to-allow-for-emergency-powers-to-tackle-coronavirusidUSKCN21S0IW.
« Coronavirus : quels sont les pays confinés ? », Charpentier(Stéphane) : https://information.tv5monde.com/info/coronavirus-quels-sont-les-pays-confines-352330
« Skepticism rife following introduction of 'State of Emergency' draft law », Chhengpor (Aun) : https://www.voacambodia.com/a/skepticism-rife-following-introduction-of-state-of-emergencydraft-law/5355113.html
« The world sees a public health crisis. Beijing sees a political threat », Cook (Sarah) : https://thediplomat.com/2020/03/the-world-sees-a-public-health-crisis-beijing-sees-a-politicalthreat/
« Chinese social media censoring 'officially sanctioned facts' on coronavirus », Davidson (Helen) : https://www.theguardian.com/world/2020/mar/05/chinese-social-media-censoringofficially-sanctioned-facts-on-coronavirus
« Diamond Princess Mysteries », Eschenbach (Willis) : https://wattsupwiththat.com/2020/03/16/diamond-princess-mysteries/
« Coronavirus death predictions bring new meaning to hysteria », Fumento (Michael) : https://www.realclearmarkets.com/articles/2020/04/01/coronavirus_death_predictions_bring_new_meaning_to_hysteria_487977.html
« For autocrats, and others, Coronavirus is a chance to grab even more power », Gebredikan (Selam) : https://www.nytimes.com/2020/03/30/world/europe/coronavirus-governmentspower.html
« A coronavirus test can be developed in 24 hours. So why are some countries still struggling to diagnose ? », Hollingsworth(Julia) : https://edition.cnn.com/2020/03/24/asia/testingcoronavirus-science-intl-hnk/index.html
« China confirms human-to-human transmission of coronavirus », Kuo (Lily) : https://www.theguardian.com/world/2020/jan/20/coronavirus-spreads-to- beijing-as-china-confirms-new-cases
« WHO : Nearly all Coronavirus deaths in Europe are people aged 60 and older », Lardieri (Alexa) : https://www.usnews.com/news/world-report/articles/2020-04-02/who-nearly-all-coronavirus-deaths-in-europe-are-people-aged-60-and-older.
« Coronavirus : où sont les principaux foyers épidémiques ? », Le Guen (Viviane) : https://www.francebleu.fr/infos/sante-sciences/carte-coronavirus-ou-sont-les-principaux-foyers-epidemiques-1583510906
« A Wuhan doctor says Chinese officials silenced her coronavirus warnings in December, costing thousands their lives », Mahbubani (Rhea) : https://www.businessinsider.fr/us/wuhan-doctor-chinese-sounded-alarm-coronavirus-outbreak-december-2020-3.
« The fragility of the global nurse supply chain », McLaughlin (Timothy) : https://www.theatlantic.com/international/archive/2020/04/immigrant-nurse-health-care-coronavirus-pandemic/610873/

« Avant le coronavirus, les ravages de la grippe asiatique et de la grippe de Hong Kong », Paget (Christophe) : http://www.rfi.fr/fr/podcasts/20200419-avant-le-coronavirus-les-ravages-la-grippe-asiatique-et-la-grippe-hong-kong
« As Coronavirus Surveillance Escalates, Personal Privacy Plummets », Singer (Natasha) et Sang-Hun (Choe) : https://www.nytimes.com/2020/03/23/technology/coronavirus-surveillance-tracking-privacy.html
« How personal contact will change post-Covid-19 ? », Stoker-Walker (Chris) : https://www.bbc.com/future/article/20200429-will-personal-contact-change-due-to-coronavirus
« Coronavirus - Bad masks : China clamps down on suppliers after European outcry », Tabeta (Shunsuke) : https://asia.nikkei.com/Spotlight/Coronavirus/Bad-masks-China-clamps-down-on-suppliers-after-European-outcry
« Coronavirus : quelles leçons tirer de l'expérience chinoise ? », Testard (Hubert) : https://asialyst.com/fr/2020/04/05/chineapres-coronavirus-longue-marche-reprise-economique/
« Petite histoire des grandes maladies. Le typhus, l'autre peste... » : https://www.legeneraliste.fr/actualites/article/2014/08/09/le-typhus-lautre-peste_248696
« Plus de quatre milliards d'humains appelés à se confiner » : https://www.letelegramme.fr/monde/plus-de-quatre-milliards-d-humains-appeles-a-se-confiner-07-04-2020-12536679.php
« Solitude has always been both a blessing and a curse » : https://www.economist.com/books-and-arts/2020/04/30/solitude-has-always-been-both-a-blessing-and-a-curse
« Coronavirus : 4,6 milliards de personnes toujours appelées à rester chez elles », lemonde.fr avec AFP : https://www.lemonde.fr/planete/article/2020/05/03/coronavirus-plus-de-240-000-morts-dans-le-monde_6038486_3244.html
« Comment la peste affecta l'histoire : première pandémie (VIe-VIIIe siècle) », Testot (Laurent) : http://blogs.histoireglobale.com/comment-la-peste-affecta-l'histoire-premiere-pandemie-6e-8e-siecle_613
« S. Korea Forecast to Suffer Less Economic Impact from COVID-19 » : http://world.kbs.co.kr/service/news_view.htm?lang=e&Seq_Code=153301
« Le Covid-19 bouleversera durablement le rapport au travail des Français » : http://www.odoxa.fr/sondage/covid-19-bouleverse-deja-modifiera-durablement-rapport-francais-travail/
« Landmark partnership announced for development of COVID-19 vaccine » : http://www.ox.ac.uk/news/2020-04-30-land-mark-partnership-announced-development-covid-19-vaccine
« Coronavirus : quelles leçons tirer de l'expérience chinoise ? », Testard (Hubert) : https://asialyst.com/fr/2020/03/19/coronavirus-chine-quelles-lecons-tirer-exprience-chinoise-chine/
« La Chine après le coronavirus : la longue marche vers la reprise économique», Payette (Alex) : https://asialyst.com/fr/2020/04/05/chine-apres-coronavirus-longue-marche-reprise-economique/

« Amazon has hired 175,000 additional people » : https://blog.aboutamazon.com/company-news/amazon-hiring-for-additional-75-000-jobs
« The impact of COVID-19 (Coronavirus) on global poverty : Why Sub-Saharan Africa might be the region hardest hit », Gerszon Malher (Daniel), Lakner (Christoph), Castaneda Aguilar (R. Andres), Wu (Haoyu) : https://blogs.worldbank.org/opendata/impact-covid-19-coronavirus-global-poverty-why-sub-saharan-africa-might-be-region-hardest
« Danish society and the business environment » : https://denmark.dk/society-and-business/work-life-balance-
« 2020 is a catastrophe for tourism businesses. Here's what the industry needs to get back on its feet », Ziady (Hanna) : https://edition.cnn.com/2020/05/13/business/travel-and-tourism-recovery-coronavirus/index.html
« Europe promises to reopen for summer tourism in wake of coro-navirus », Hardingham (Tamara) : https://edition.cnn.com/travel/article/europe-summer-coronavirus-tourism/index.html
« 60 % still go to office despite state of emergency over virus : survey » : https://english.kyodonews.net/news/2020/04/561bce-3df47f-60-still-go-to-office-despite-state-of-emergency-over-virus-survey.html
« Pfizer begins coronavirus vaccine testing in US ; Mich. Lab could mass produce it », Baldas (Tresa) : https://eu.usatoday.com/story/news/local/michigan/2020/05/05/pfizer-covid-19-vaccine-testing-michigan/3084526001/
« Virus respiratoires : SRAS, MERS, H1N1, grippe saisonnière...Que disent les chiffres ? », Pavy (Julien) : https://fr.euronews.com/2020/01/29/virus-respiratoires-sras-mers-h1n1-grippe-sai-sonniere-que-disent-les-chiffres
« Pologne : report controversé des élections » : https://fr.euronews.com/2020/05/07/pologne- report-controverse-des-elections
« For our (many) foreign friends », Gasparinetti (Marco) : https://gruppo25aprile.org/for-our- many-foreign-friends/
« Global Demand for Food Is Rising. Can We Meet It ? », Elferink(Maarteen) et Schierborn (Florian) : https://hbr.org/2016/04/global-demand-for-food-is-rising-can-we-meet-it
« Do insurers have COVID-19 covered ? », Hay (Laura) : https://home.kpmg/xx/en/home/insights/2020/03/do-insurers-have-covid-19-covered.html
« COVID-19 : confortée par l'OMS, la Suède maintient le cap », Kouaou (Ahmed) : https://ici.radio-canada.ca/nouvelle/1699986/suede-coronavirus-strategie-anders-tegnell
« Country Risk of China : Economy » : https://import-export.societegenerale.fr/en/country/china/economy-country-risk
« COVID-19 to push up UK poverty levels - state aid expert explains why », Wintle (Thomas) : https://newseu.cgtn.com/news/2020-04-09/COVID-19-is-pushing-up-poverty-levels-according-to-aid-expert-Pv1VXlqcKc/index.html
« Climate Change Could Mean Shorter Winters, But Longer Flu Seasons », Cimons

(Marlene) : https://nexusmedianews.com/climate-change-could-mean-shorter-winters-but-longer-flu-sea-sons-bd632a8b3ba0

« Sida : un traitement préventif approuvé », le figaro.fr avec AFP : https://sante.lefigaro.fr/actualite/2012/05/11/18171-sida-traite ment-preventif-approuve

« “COVID-19” Thermal Cameras Start to Hit the Marketplace », Jensen (Ralph C.) : https://securitytoday.com/articles/2020/04/24/covid19-thermal-cameras-start-to-hit-the-marketplace.aspx

« US e-commerce sales jump 49 % in April, led by online grocery », Perez (Sarah) : https://techcrunch.com/2020/05/12/us-e-commerce-sales-jump-49-in-april-led-by-online-grocery/

« Need to self-isolate ? These hotels are offering ‘quarantine packages’ » Walker (Victoria M.) : https://thepointsguy.com/news/hotel-quarantine-packages-coronavirus/

« China says its economy shrank after coronavirus lockdown-for the first time in decades » : https://time.com/5823118/china-economy-contracts-coronavirus/

« South Korea’s May 1-10 exports dive as coronavirus wipes out global demand », Navaratnam (Shri) et Kim (Cynthia) :https://uk.reuters.com/article/uk-southkorea-economy-trade/south-koreas-may-1-10-exports-dive-as-coronavirus-wipes-out-global-demand-idUKKBN22N0HA

« Covid-19 : comment les producteurs agricoles se réorganisent », Meghraoua (Lila) : https://usbeketrica.com/article/covid-19-comment-les-producteurs-agricoles-se-reorganisent

« Les moustiques pourraient apporter des maladies tropicales en Europe », Kloetzli (Sophie) : https://usbeketrica.com/article/rechauffement-climatique-europe-bientot-maladies-tropicales

« WTTC now estimates over 100 million jobs losses in the Travel & Tourism sector and alerts G20 countries to the scale of the crisis » : https://wttc.org/News-Article/WTTC-now-estimates-over-100-million-jobs-losses-in-the-Travel-&-Tourism-sector-and-alerts-G20-countries-to-the-scale-of-the-crisis

« Tendances e-commerce 2020 », Avenier (Michel) : https://www.abime-concept.com/blog/2020/03/13/tendance-se-commerce-2020/

« Deuxième loi de finance rectificative pour 2020 » : https://www.aft.gouv.fr/fr/budget-etat

« Les assureurs, grands gagnants de la crise ? », Ferry (Jasmine) :https://www.alternatives-economiques.fr/assureurs-grands-gagnants-de-crise/00092455

« The chemical industry is leading expansion in U.S manufacturing » : https://www.americanchemistry.com/Shale-Infographic/

« Sondage : Inquiétudes sur la gestion des données personnelles par les GAFA » : https://www.amnesty.fr/liberte-d-expression/actualites/gafa-gestion-des-donnees-personnelles

« South Korea, China to lead travel recovery », Worrachaddejchai(Dusida) : https://www.bangkokpost.com/business/1917092/south-korea-china-to-lead-travel-recovery

« Délinquance d’opportunité » : comment la criminalité s’adapte au confinement », Paolini (Esther) : https://www.bfmtv.com/police-justice/delinquance-d-opportunite-comment-la-

crimina-lite-s-adapte-au-confinement-1881131.html
« How the Pandemic Wiped Out Oil Demand Around the World », Sell (Christopher) : https://www.bloomberg.com/news/articles/2020-04-09/how-the-pandemic-wiped-out-oil-demand-around-the-world?sref=Zyy3Rj10
« Italy Sees Deficit Above 10 % of Economy in 2020, Official Say », Follain (John) et Migliaccio (Alessandra) : https://www.bloomberg.com/news/articles/2020-04-22/italy-sees-defici-tabove-10-of-economy-in-2020-officials-say?sref=Zyy3Rj10
« Taiwan Dodges the Worst Economic Impacts of Coronavirus »,Wang (Cindy) et Ellis (Samson) : https://www.bloomberg.com/news/articles/2020-04-30/taiwan-dodges-worst-economic-impacts-of-virus-and-keeps-growing?sref=Zyy3Rj10
« Five Charts Show he Economic Risks that China is now Facing » : https://www.bloombergquint.com/business/five-charts-show-the-economic-risks-that-china-is-now-facing
« Italy's Shuttered Industry Sees Output Plunge by Almost 30 % », Miggliaccio (Alessandra) et Salzano (Giovanni) : https://www.bloombergquint.com/global-economics/italy-s-shuttered-industry-sees-output-plunge-by-almost-30
« China Oil Demand Has Plunged 20 % Because of the Virus Lockdown », Cho (Sharon), Blas (Javier) et Cang (Alfred) : https://www.bloombergquint.com/markets/china-oil-demandis-said-to-have-plunged-20-on-virus-lockdown
« The Hydrogen Economy's Time is Approaching », Fickling (David) : https://www.bloombergquint.com/opinion/hydrogen-merits-stimulus-support-in-post-coronavirus-economy
« Emirates is giving passengers rapid coronavirus tests before flights that produce results in minutes », Slotnick (David) : https://www.businessinsider.fr/us/emirates-tests-passengers-coronavirus-covid19-flights-2020-4
« Les usines de Renault à l'arrêt, sauf en Chine et en Corée du Sud » : https://www.capital.fr/entreprises-marches/renaulttoutes-les-usines-sont-a-larret-sauf-en-chine-et-en-coree-du-sud-1366100
« Analysis : Coronavirus set to cause largest ever annual fall in CO2 emissions », Evans (Simon) : https://www.carbonbrief.org/analysis-coronavirus-set-to-cause-largest-ever-annual-fallin-co2-emissions
« Coronavirus may infect up to 70 % of world's population, expert warns », Axelrod (Jim) : https://www.cbsnews.com/news/coronavirus-infection-outbreak-worldwide-virus-expert-warning-today-2020-03-02/
« Coronavirus : le grand retour des emballages en plastique! », Kunin (Anton) : https://www.consoglobe.com/emballages-en-plastique-coronavirus-cg
« Covid-19 : quarantaines de luxe dans des hôtels suisses » : https://www.courrierinternational.com/article/privileges-covid-19-quarantaine-de-luxe-dans-des-hotels-suisses
« Leading UK professor warned of coronavirus type outbreak two years ago - and now blasts

government for lack of 'decisive action' while praising China's 'ambitious' containment of bug », Hussain (Danyal) : https://www.dailymail.co.uk/news/article-8139491/Leading-UK- professor-warned-coronavirus-type-outbreak-two-years-ago.html
« Alphabet (Google) annonce qu'il va mettre fin cette année au "Double Irlandais" » : https://www.developpez.com/actu/289329/Alphabet-Google-annonce-qu-il-va-mettre-fincette-annee-au-Double-Irlandais-sa-technique-d-optimisation-fiscale-qui-lui-a-permis-d-economiser-des-dizaines-de-milliardsd-euros-en-impots/
« 1854/1855 : Cernay frappée par une épidémie de choléra », Job(Emmanuel) : https://www.dna.fr/actualite/2020/03/29/1854-1855-cernay-frappee-par-une-epidemie-de-cholera
« Solitude has always been both a blessing and a curse » : https://www.economist.com/books- and-arts/2020/04/30/solitude-has-always-been-both-a-blessing-and-a-curse
« Coronavirus : en Italie, 700.000 enfants sont en difficulté alimentaire » : https://www.europe1.fr/international/coronavirus-en-italie-700000-enfants-sont-en-difficulte-alimentaire-3967589
« 3,2 milliards d'euros de mesures exceptionnelles pour faire face à la crise du COVID-19 » : https://www.ffa-assurance.fr/actualites/32-milliards-euros-de-mesures-exceptionnelles-pour-faire-face-la-crise-du-covid-19
« Japan's Coronavirus Response Increases Public Debt Challenge » : https://www.fitchratings.com/research/sovereigns/japan-coronavirus-response-increases-public-debt-challenge-15-04-2020
« Korea Election Bolsters Govt's Expansionary Fiscal Stance » : https://www.fitchratings.com/research/sovereigns/korea-election-bolsters-govt-expansionary-fiscal-stance-22-04-2020
« Oil And Gas Giants Spend Millions Lobbying To Block Climate Change Policies », McCarthy (Niall) : https://www.forbes.com/sites/niallmccarthy/2019/03/25/oil-and-gas-giants-spend-millions-lobbying-to-block-climate-change-policies-infographic/#1b7454eb7c4f
« Le pouvoir d'achat des Français a-t-il baissé depuis le confinement ? », Manceau (Jean-Jacques) : https://www.forbes.fr/finance/le-pouvoir-dachat-des-francais-a-t-il-baisse-depuis-le-confinement/?cn-reloaded=1
« Covid-19 : 60 millions d'emplois menacés en Europe » : https://www.franceinter.fr/emissions/histoires-economiques/histoires-economiques-22-avril- 2020
« La crise du Covid-19 montre à quel point Amazon n'est pas une entreprise comme les autres », Fabrion (Maxence) : https://www.frenchweb.fr/la-crise-du-covid-19-montre-a-quel-point-amazon-nest-pas-une-entreprise-comme-les-autres/398500
« How Romania became a popular tech destination », MacDowall (Andrew) : https://www.ft.com/content/a0652dba-632f-11e7-8814-0ac7eb84e5f1
« Loss of working hours to equal 195m full-time jobs, UN agency warns », Strauss (Delphine) : https://www.ft.com/content/d78b8183-ade7-49c2-a8b5-c40fb031b801
« Wuhan reports first new coronavirus cases since of lockdown » Sheperd (Christian), Liu

(Xinning) et White (Edward) : https://www.ft.com/content/fbb9a1bb-9656-4023-aa97-01ff1dae4403
« Le soleil et la chaleur vont-ils faire disparaître le coronavirus », Hernandez (Julien) : https://www.futura-sciences.com/sante/actualites/coronavirus-soleil-chaleur-vont-ils-faire-disparaitre-coronavirus-80070/
« Global overview of COVID-19 : Impact on elections » : https://www.idea.int/news-media/multimedia-reports/global-overview-covid-19-impact-elections
« Why Business Is Booming in These 6 Unlikely European Cities », Henry (Zoë) : https://www.inc.com/zoe-henry/6-emerging-eu-hot-spots.html
« Why This Tiny Slovakian City Is a Hidden Startup Gem », Henry (Zoë) : https://www.inc.com/zoe-henry/bratislava-slovakia-top-city-for-startups-inc-5000-europe-2017.html
« Covid-19 : Les villes mobilisées dans la police du confinement», Malochet (Virginie) : https://www.institutparisregion.fr/amenagement-et-territoires/chroniques-des-confins/covid-19-les-villes-mobilisees-dans-la-police-du-confinement.html
« Which Industry Spends the Most on Lobbying? », Frankenfield (Jake) : https://www.investopedia.com/investing/which-industry-spends-most-lobbying-antm-so/
« Government and public bodies largest source of income for charities, says report », Burns (Sarah) : https://www.irishtimes.com/news/social-affairs/government-and-public-bodies-largest-source-of-income-for-charities-says-report-1.3575503
« La taxe Gafa est démagogique et une aberration économique», Rolland (Sylvain), Jules (Robert) : https://www.latribune.fr/technos-medias/internet/la-taxe-gafa-est-demago-gique-et-une-aberration-economique-810448.html
« Comment les Français (re)voyageront, selon Jean-François Rial », Lainé (Linda) : https://www.lechotouristique.com/article/comment-les-francais-revoyageront-selon-jean-francois-rial
« Google a transféré 20 milliards d'euros aux Bermudes en 2017 », Braun (Elisa) : https://www.lefigaro.fr/secteur/hightech/2019/01/04/32001-20190104ARTFIG00294-google-atransfere-20-milliards-d-euros-aux-bermudes-en-2017.php
« Petite histoire des grandes maladies (6) - Le typhus, l'autre peste... » : https://www.legeneraliste.fr/actualites/article/2014/08/09/le-typhus-lautre-peste_248696
« Et si on piratait votre pacemaker ? », Demey (Juliette) : https://www.lejdd.fr/Societe/Sante/risque-de-piratage-quand-le-pacemaker-ne-repond-plus- 3740987
« En Chine, la reprise se fait à un rythme très modéré », Leplâtre (Simon) : https://www.lemonde.fr/economie/article/2020/04/04/en-chine-la-reprise-se-fait-a-un-rythme-tres-modere_6035547_3234.html
« Coronavirus : "La fermeture générale des établissements scolaires est une première historique" », Lelièvre (Claude) : https://www.lemonde.fr/education/article/2020/03/16/coronavirus-la-ferme-ture-generale-des-etablissements-scolaires-est-une-premiere-historique_6033288_1473685.html
« Petit guide de lobbying dans les arènes de l'Union européenne », Dagorn (Gary) : https://

www.lemonde.fr/les-decodeurs/article/2019/05/23/petit-guide-de-lobbyisme-dans-les-arenes-de-l-union-europeenne_5466056_4355770.html
« Pourquoi Google n'a payé que 17 millions d'euros d'impôts en France en 2018 », Vaudano (Maxime) : https://www.lemonde.fr/les-decodeurs/article/2019/08/02/pourquoi-google-paie-sipeu-d-impots-en-france_5496034_4355770.html
« Coronavirus : en Italie, l'épidémie donne des signes de ralentissement», Dagorn (Gary) : https://www.lemonde.fr/les-decodeurs/article/2020/04/10/coronavirus-en-italie-l-epidemie-donne-des-signes-de-ralentissement_6036271_4355770.html
« MERS Coronavirus : la Corée du Sud annonce la fin de l'épidémie», lemonde.fr avec AFP : https://www.lemonde.fr/planete/article/2015/07/28/merscoronavirus-la-coree-du-sud-annonce-la-fin-de-l-epidemie_4701460_3244.html
« Les relations complexes entre climat et maladies infectieuses », Rosier (Florence) : https://www.lemonde.fr/planete/article/2019/04/13/les-relations-complexes-entre-climat-et-maladies-infectieuses_5449708_3244.html
« Jusqu'à + 7 °C en 2100 : les experts français du climat aggravent leurs projections sur le réchauffement », Garric (Audrey) :https://www.lemonde.fr/planete/article/2019/09/17/jusqu-a-7-c-en-2100-les-experts-francais-du-climat-aggravent-leurs-projections-sur-le-rechauffement_5511336_3244.html
« D'ici la fin du siècle, les vagues de chaleur mortelles toucheront 75 % de l'humanité », Marchand (Leïla) : https://www.lesechos.fr/2017/06/dici-la-fin-du-siecle-les-vagues-de-chaleurmortelles-toucheront-75-de-lhumanite-173924
« Coronavirus : la banque centrale chinoise décide sa plus forte baisse de taux depuis 2015 », Benoit (Guillaume) : https://www.lesechos.fr/finance-marches/marches-financiers/corona-virus-la-banque-centrale-chinoise-applique-sa-plus-forte-baisse-de-taux-depuis-2015-1190312
« Comment le coronavirus menace de contaminer la chaîne de production mondiale », Schaeffer (Frédéric) : https://www.lesechos.fr/industrie-services/automobile/comment-le-coronavirus-menace-de-contaminer-la-chaine-de-production-mondiale-1169018
« Thierry Breton : "Il faut un plan Marshall du tourisme européen" », Perrotte (Derek) : https://www.lesechos.fr/industrie-services/tourisme-transport/coronavirus-thierry-breton-il-fautun-plan-marshall-du-tourisme-europeen-1196945
« Coronavirus : le tourisme affronte une crise historique », Palierse(Christophe) : https://www.lesechos.fr/industrie-services/tourisme-transport/coronavirus-la-pandemie-impose-une-nouvelle-donne-pour-le-tourisme-mondial-1195401
« Coronavirus : le géant du tourisme TUI envisage de supprimer 8.000 postes », Palierse (Christophe) : https://www.lesechos.fr/industrie-services/tourisme-transport/coronavirus-le-geant-du-tourisme-tui-envisage-de-supprimer-pres-de-8000-postes-1202600
« Coronavirus : le chèque-vacances au coeur de la relance du tourisme », Palierse (Christophe) : https://www.lesechos.fr/industrie-services/tourisme-transport/coronavirus-le-cheque-vacances-au-coeur-de-la-relance-du-tourisme-1202488

« Virus : en Chine, un confinement à grande échelle pour tenter d'éradiquer l'épidémie », Schaeffer (Frédéric) : https://www.lesechos.fr/monde/chine/la-ville-de-wuhan-epicentre-du-virus-chinois-coupee-du-monde-1165382
« Coronavirus : Chine, Allemagne, Danemark... les pays déconfinés connaissent-ils un rebond épidémique ? »,Clinkemaillié (Tifenn) : https://www.lesechos.fr/monde/enjeux-internationaux/coronavirus-chine-allemagne-danemark-les-pays-deconfines-connaissent-ils-un-rebond-epidemique-1202324
« Cookies : le consentement biaisé des internautes », Dumoulin(Sébastien), Dèbes (Florian) : https://www.lesechos.fr/tech-medias/hightech/cookies-le-consentement-biaise-des-internautes-1162585
« Plus de quatre milliards d'humains appelés à se confiner » : https://www.letelegramme.fr/monde/plus-de-quatre-milliards-d-humains-appeles-a-se-confiner-07-04-2020-12536679.php
« Coronavirus : le pouvoir d'achat des Français va baisser après le confinement, selon l'agroalimentaire » : https://www.lunion.fr/id145872/article/2020-04-18/coronavirus-le-pouvoir-dachat-des-francais-va-baisser-apres-le-confinement-selon
« COVID-19 : Implications for business » : https://www.mckinsey.com/business-functions/risk/our-insights/covid-19-implications-for-business
« Les trois quarts de l'humanité menacés de mourir de chaud en 2100 », Leahy (Stephen) : https://www.nationalgeographic.fr/environnement/les-trois-quarts-de-lhumanite-menaces-de-mourir-de-chaud-en-2100
« Le plastique en 10 chiffres » : https://www.nationalgeographic.fr/le-plastique-en-10-chiffres
« Les stocks de Tamiflu disponibles en Europe » : https://www.nouvelobs.com/monde/20051014.OBS2238/les-stocks-de-tamiflu-disponibles-en-europe.html
« FACTBOX-COVID-19 lockdowns depress fuel demand worldwide», Ghaddar (Ahmad), Donovan (Kirsten) : https://www.reuters.com/article/global-oil-demand-fuels/factbox-covid-19-lockdowns-depress-fuel-demand-worldwide-idUSL5N2C45XG
« China cuts medium-term rate to soften coronavirus hit to economy», Coghill (Kim), Holmes (Sam) : https://www.reuters.com/article/us-china-economy-mlf/china-central-bank-cuts-one-year-mlf-rate-by-10-basis-points-to-support-virus-hit-economy-idUSKBN20B04B
« South Korea's exports suffer worst slump in 11 years as pandemic shatters world trade », Roh (Joori), Kim (Cynthia) : https://www.reuters.com/article/us-southkorea-economy-trade/south-koreas-exports-suffer-worst-slump-in-11-years-as-pandemic-shatters-world-trade-idUSKBN22D439
« Google, Facebook spend big on U.S. lobbying amid policy battles », Dave (Paresh) : https://www.reuters.com/article/us-tech-lobbying/google-facebook-spend-big-on-u-s-lobbying-amid-policy-battles-idUSKCN1PG2TD
« Des hackers démontrent qu'un pacemaker peut être aisément piraté » : https://www.rts.ch/

info/sciences-tech/medecine/9772308-des-hackers-demontrent-qu-un-pacemaker-peut-etre-aisement-pirate.html
« E-commerce drives China's stay-at-home economy in coronavirus aftermath », Chen Kang (Soon) : https://www.spglobal.com/marketintelligence/en/news-insights/latest-news-headlines/e-commerce-drives-china-s-stay-at-home-economy-in-coronavirus-aftermath-57642723
« Live-streaming helped China's farmers survive the pandemic. It's here to stay. », Hao (Karen) : https://www.technologyreview.com/2020/05/06/1001186/china-rural-live-streaming-during-cornavirus-pandemic/
« Amazon reaps $11,000-a-second coronavirus bonanza », Neate(Rupert) : https://www.theguardian.com/technology/2020/apr/15/amazon-lockdown-bonanza-jeff-bezos-fortune-109bncoronavirus
« China confirms human-to-human transmission of coronavirus », Kuo (Lily) : https://www.theguardian.com/world/2020/jan/20/coronavirus-spreads-to-beijing-as-china-confirms-new-cases
« Chinese social media censoring 'officially sanctioned facts' on coronavirus », Davidson (Helen) : https://www.theguardian.com/world/2020/mar/05/chinese-social-media-censoring-officially-sanctioned-facts-on-coronavirus
« Obesity could shift severe COVID-19 disease to younger ages », Kass (David A.), Duggal (Priya), Cingolani (Oscar) : https://www.thelancet.com/journals/lancet/article/PIIS0140-6736(20)31024-2/fulltext
« Climate change may hamper response to flu : Study », Wilke(Carolyn) : https://www.the-scientist.com/news-opinion/climate-change-may-hamper-response-to-flu--study-65430
« Un grand "plan Marshall" pour soutenir et développer le tourisme en France » : https://www.tourhebdo.com/actualites/economie/un-grand-plan-marshall-pour-soutenir-et-develop-per-le-tourisme-en-france-552163.php
« Quels produits français sont menacés de rétorsion par les Etats-Unis à cause de la taxe GAFA? » : https://www.usine-nouvelle.com/editorial/quels-produits-francais-sont-menaces-de-retorsion-par-les-etats-unis-a-cause-de-la-taxe-gafa.N909594
« Half of US workers could earn more while unemployed », Bredemeier (Ken) : https://www.voanews.com/usa/half-us-workers-could-earn-more-while-unemployed
« The pandemic's lasting effects on luxury fashion », Arnett(George) : https://www.voguebusiness.com/fashion/pandemics-lasting-effects-luxury-fashion
« Le commerce vocal est-il l'avenir du e-commerce ? » : https://www.webotit.ai/le-commerce-vocal-est-il-lavenir-du-e-commerce/
« Charities in Ireland play a vital role in society – they make a difference to millions of lives here and across the world » : https://www.wheel.ie/policy-and-research/about-our-sector
« Gates Foundation to Invest Up to $140 Million in HIV Prevention Device », Winslow (Ron) : https://www.wsj.com/articles/gates-foundation-to-invest-up-to-140-million-in-hivprevention-device-1483023602

La partie « Escamoter la mort ; vivre intensément », des pages 133 à 136, est la chronique de Jacques Attali intitulée « Escamoter la mort ; vivre intensément », parue dans *Les Échos* du 9 juillet 2020.

La partie « De quoi un masque est-il le nom ? », des pages 136 à 139, est la chronique de Jacques Attali intitulée « De quoi un masque est-il le nom ? », parue dans *Les Échos* du 11 juin 2020.

La partie « L'entreprise, comme un hôtel pour ceux qui y travaillent », des pages 144 à 146, est la chronique de JacquesAttali intitulée « L'entreprise, comme un hôtel pour ceux qui y travaillent », parue dans *Les Échos* du 3 juillet 2020.

La partie « Pensez à cette jeunesse, avant qu'il ne soit trop tard », des pages 171 à 174, est la chronique de Jacques Attali intitulée « Pensez à cette jeunesse, avant qu'il ne soit trop tard », parue dans *Les Échos* du 18 juin 2020.

[著者紹介]
ジャック・アタリ(Jacques Attali)
1943年アルジェリア生まれ。フランス国立行政学院（ENA）卒業、81年フランソワ・ミッテラン大統領顧問、91年欧州復興開発銀行の初代総裁などの要職を歴任。政治・経済・文化に精通することから、ソ連の崩壊、金融危機の勃発やテロの脅威などを予測し、2016年の米大統領選挙におけるトランプの勝利など的中させた。
林昌宏氏の翻訳で、『2030年ジャック・アタリの未来予測』『海の歴史』『食の歴史』（小社刊）、『新世界秩序』『21世紀の歴史』『金融危機後の世界』『国家債務危機─ソブリン・クライシスに、いかに対処すべきか?』『危機とサバイバル─21世紀を生き抜くための〈7つの原則〉』（いずれも作品社）、『アタリの文明論講義：未来は予測できるか』（筑摩書房）など、著書は多数ある。

[訳者紹介]
林　昌宏(はやし・まさひろ)
1965年名古屋市生まれ。翻訳家。立命館大学経済学部卒業。訳書にジャック・アタリ『2030年 ジャック・アタリの未来予測』『海の歴史』『食の歴史』（小社刊）、『21世紀の歴史』（作品社）、ダニエル・コーエン『経済と人類の1万年史から、21世紀世界を考える』（作品社）、ボリス・シリュルニク『憎むのでもなく、許すのでもなく』（吉田書店）他多数。

坪子理美(つぼこ・さとみ)
1986年栃木県生まれ。翻訳者。博士（理学）。東京大学理学部生物学科卒業。同大学院理学系研究科生物科学専攻修了。訳書に『なぜ科学はストーリーを必要としているのか』（ランディ・オルソン著、慶應義塾大学出版会）、『性と愛の脳科学─新たな愛の物語』（ラリー・ヤング、ブライアン・アレグザンダー著、中央公論新社）等。現在、広範囲薬剤耐性菌（スーパーバグ）感染症との闘いを描いた科学ドキュメンタリー『悪魔の細菌』（仮題）の翻訳に取り組むほか、『遺伝子命名物語』（仮題）を共著で執筆中。

命の経済

2020年10月16日　第1刷発行
2021年 1月24日　第2刷発行

著　者　ジャック・アタリ
訳　者　林 昌宏　坪子理美
発行者　長坂嘉昭
発行所　株式会社プレジデント社
〒102-8641 東京都千代田区平河町2-16-1
平河町森タワー 13F
https://www.president.co.jp/　https://presidentstore.jp/
電話　編集(03)3237-3732
販売(03)3237-3731
販　売　桂木栄一　高橋 徹　川井田美景
森田 巌　末吉秀樹
編　集　渡邉 崇
撮　影　宇佐美雅浩
装　丁　秦 浩司(秦浩司装幀室)
制　作　関 結香
印刷・製本　凸版印刷株式会社

ISBN978-4-8334-2387-8
Printed in Japan

落丁・乱丁本はおとりかえいたします。